小心轻放的光阴

做一个淡淡的女子，不浮不躁，不争不抢。

陆苏 / 著

长江出版传媒
长江文艺出版社

北京时代华语图书股份有限公司
www.chinamediatime.com
出　品

整个春天想念你

所有夜晚梦见你

也许让你知道

也许不

像梨花突然开白了山坡

并不说出春天已来

第一辑　我的故事

很小的时候就想出嫁，只为奶奶许诺给我做嫁妆的梨木妆台。小小的我啊，依着妆台，依着奶奶的呵护和爱怜，遥念嫁期……

多年后，妆台仍在奶奶的房里老等，我却已不是那个懵懂的少年。只有那妆台的抽屉里，还小心轻放着最美的回忆。

容颜会老去，四季不会停。那些散碎在笔尖的光阴，寂静欢喜。

说，现在的生活

第二辑　身边的故事

我不是个靠卖故事为生的人，却喜欢听各种各样的故事，也喜欢躲在一个昏暗的角落，看人情的冷暖、事态的炎凉……

也许，人永远是卑微的；也许，故事永远都无法摆脱那与生俱来的苍凉和忧伤。但，只要怀有一颗惜福感恩的心，就永远能有聆听阳光的心情。

一只叫作“戏”的酒杯

听，朋友的心声

观，世间的温暖

第三辑　小村的故事

小村门大、窗大，再多的快乐，也可以涌进来；小村云清、天亮，再多的不如意，也可以挥散出……

小村的风景，寂静如画；小村的生活，恬淡安然。

寂静戏台

看，最美的风景

享，四季的光阴

第四辑　我的草本诗光

写作是灯，照亮我的生活，让我和心爱的人一起品花草的心事，听自然的天籁，享受屋檐下的静美岁月……

烟花

第一辑　我的故事

很小的时候就想出嫁，只为奶奶许诺给我做嫁妆的梨木妆台。小小的我啊，依着妆台，依着奶奶的呵护和爱怜，遥念嫁期……

多年后，妆台仍在奶奶的房里老等，我却已不是那个懵懂的少年。只有那妆台的抽屉里，还小心轻放着最美的回忆。

容颜会老去，四季不会停。那些散碎在笔尖的光阴，寂静欢喜。

花旦

小时候常跟大人们翻山越岭去看戏，就是那种才子佳人的古装戏。

说是看戏，其实讨厌死了那没完没了的唱词和唱腔，感兴趣的只是一个花旦。在很少脂粉的年代，那花旦无疑是天仙般的大美人。那浓妆的眉眼，那珠翠的头饰，那身段那水袖，让我如痴如醉。

戏场如集市，看客真的如云；而大多的眼光都罩在花旦身上。场上的气氛随花旦的情绪起落，所有的眼泪和掌声都为她汹涌。没有人知道小小的心里也有梦想，我几乎是绝望地想着：长大了我也要做一回花旦，而且是头牌花旦。

现在偶而也去看看戏，那想做花旦的念头却是早就散了。因为后来终于明白，一出戏里只需要一个花旦，大多数人只能做平常角色。而且即便做了花旦也不见得有什么好，天天生活在远得没边的别人的故事里，对白是假的，亲情是假的，美丽是假的，就连眼泪都是假的，这多可怕。

生活是生活，戏台是戏台，戏台上的美满并不意味着生活的幸福，厚厚的粉妆下面更多的是早生的皱纹。虽然掌声诱人，却难品味下台后的冷清。更何况，人在台上招招式式不可马虎，稍露破绽，就可能有人请你吃西瓜皮或瓜子壳，自认粗心又不够皮厚，这花旦不做也罢。

花旦的梦是醒了，并不等于别的梦也不做了，总有一些怪念头不甘寂寞地粉墨登场，又等不到谢幕已逃之夭夭，给自己徒增笑柄。但是被自己笑话总比被别人笑话有趣。

只是不知道，什么时候才能修炼成一个心如止水的标准看客？

忆，最美的童年

给

给苍凉加柴／给寂寞添草 ／／给遥远写信／给惦记裁衣／／给翅膀高飞／给枕头安睡／／给爱你更爱／给永远更远……

梨木妆台

很小的时候就想着要出嫁。

想出嫁不为别的，一心想要奶奶答应给的嫁妆，是一张很老很老的梨木妆台。

那是奶奶当年的陪嫁。据说，奶奶的嫁妆摆了足足三里地，爷爷家腾出了三进院子还放不下。“辗转至今，就只剩了这一个梨木妆台和满堂子孙。”说这话时，奶奶脸上并无惋惜之情。

梨木妆台周身镂刻着吉祥喜庆的图案，仿佛所有的好日子都在那上头过着。妆台的正面隐藏着许多带暗格的小抽屉，有的曾娇藏过一对羊脂白玉的镯子或一把象牙的梳子，有的曾埋伏过一个女人的家底，有的看过红颜脂粉，有的亮过女红的道具和手艺，有的只见一方祖传的砚和几枝未沾过墨的上好毛笔……

这大约是奶奶最钟爱的嫁妆，她把它放在卧房内，每天都要和它亲近几回。想那刻的镜子定和奶奶一样有着春月般的面容，几十年的世事就在它面前云烟。

喜欢疯了妆台上古意盎然的鬼斧神工，还有那些个可锁很多光阴的抽屉。

一心向往着，什么时候留得一头齐腰长发，然后在一个清闲的早晨，在妆台前端坐；在长长的辫梢上，重温奶奶溜光水滑的窈窕岁月。

淡扫娥眉，樱桃小口，粉饰一脸张狂为婉约娴静，穿上奶奶箱底的秋香绿旗袍——我那错过了旗袍时代的美人肩呵，定激动得如鞭炮声中的新嫁娘。然后等着所等的人推门进来，回眸，倾倒一人之城，足矣。

想了好多年，妆台仍在奶奶的房里老等。

曾放满首饰的抽屉，如今住满了奶奶的儿孙们的照片。梨木妆台好像一个大家族的老宅院，古朴而祥和。无论我们离家多远，都忍不住要常常想念旧瓦上的青苔和滴水如歌的屋桅。

在窗纸上点一个小孔，或虚一条门缝，鲜活的家史就款款而来。

依着妆台，依着奶奶的呵护和爱怜，我遥念嫁期。

月光下的窗

月光很好，照着别人的窗。想必也照着你的。

曾经执意于女红，用如梦的心绪绣嫁衣。嫁衣美丽，却因绣时的精心而错过了一种真实的美丽。那么无暇的祈盼和精构细织，最终绣不出一个为你披嫁衣的好日子。

是我不懂，不懂在穿针引线的同时，要心跳着你从门前走过的心跳，不懂仅仅脸红还不够爱情。

可不可以，再给我片刻往日时光，给我一个短短的梦。在我想你想得累时，陪我一会儿。

我想把梦安排在一个雨天。我们没有伞，我们不说话（怕一说梦就会醒呵），慢慢地走在雨里，直到天晴醒来。可我怕我醒回来了，换了干爽的枕巾，而你却还在那雨里，湿着。

或者把梦做成一个空旷的广场。晴无妨，雪也无妨。我们坐着，长醒若灯。风在广场散步，萨克斯在风里颤颤地唱。到我们都老了，都看不见了，那灯犹辉煌，萨克斯仍有心好伤。

梦总不来。我不能去梦里看你，只能每天看气象预报，从下不下雨猜测你的心情，从气温高低揣摩你的冷暖，从风向感觉你哪一瞬间离我最近……

今生再长，也不过是一个一眨眼就醒的长夜。我的想念，是这深睡的夜里一直醒着的窗。

当所有的门都被梦反锁，唯有这小小的窗，进出着我幻想的浪漫情节。所有没有机会从大门登堂入室的故事，都在那窗下踮起脚尖。

当夜来，夜莺在枝头敛眉上妆打算赴约，我执著又惶恐地坐在窗前，关了灯。在一片静谧中聆听月光的脚步，远远地奔来，向着窗边织绿的长青藤，向着正在林边散步的小径，向着长廊尽头和风拥舞的秋千和绣架上欲语还休的莲。

月光很好，照着你的窗。想必也会照亮我的。

风吹诗长，满垅书香

桃花走了，梨花也已挥过衣袖。

油菜花住进了长廊似的闺房。没有窗，它一定不能看书绣花，一心只是睡足了猛长，等哪天不小心，一翻身，就挤出一线天来。

沉寂的乡野，唯有那绿到处嚷嚷，嚷得满世界都是它的绿了。满眼的绿随音阶错落有致。

那叫作家的房子，前后左右覆遍了似水流淌的绿藤。绿藤半掩的那几扇白格的小窗，祥和鲜活的日子快乐地进出着。当炊烟起时，这家就是这世上最让人住着还想的地方。

家门口的“金色池塘”成了一汪翠绿，鱼在玉里游。淘米的时候，常常觉得那米也会染得翠翠的。

家住的小村婉约如诗。我们每天在新鲜的诗里生活。厚厚的一本诗集，随便翻来一页，是田头，是地角，是晒谷坪。风吹诗长，满垅满畈的书香。

那叫作“麦子、水稻、紫云英、豌豆花”的诗，总是长得那么心领神会地水灵。

好诗一亩，得来并非容易。日出研墨，日落收笔，候准每一个节气，等诗红，等诗绿。这样的诗，好看又好吃，诗熟时，一捆一捆地背回家去。篮装，筐存，碗盛。装订后，或送到很远的山外出版，或码在堂前。《春秋》

一桌，《诗经》一盏，自耕自读，自给自足，其乐融融。

小村曾很穷，现在好了。但无论贫富，相爱的一家人总是一样地过着每一个不会再回来的日子。吹萧弄笛或是割禾插秧，在我们是一样随意又隆重的事。

喜拉二胡的父亲，好曲连同他的岁月，都侍弄得漂漂亮亮。生活中的补丁也因母亲的巧手而妆为别样的精致。

也许有一天，我会在离东篱很远的地方种着自己的菊花，找一块可耕的菜地，过着一样心境的日子。但一样的月亮，一定不会有家门前的月光清亮。

家住的小村，名叫“和尚庄”。

妈妈的桂花糖

出远门，背了一瓶妈妈做的桂花糖上路。

家门前有六棵桂花树，每年可开三次花。花开时，房前屋后都泡在一坛甜香里，起点小风，整个村庄都忍不住深呼吸。

有花的日子，晚上做梦都是蘸着香的。

妈妈每年都要做桂花糖，每次都像对待一件了不起的大事般认真、神圣。妈妈做的桂花糖无论放多久，瓶内的桂花都如在树上时一样的金黄。打开糖瓶的盖子，香气只会比封入时更盛，就如陈年的酒，愈陈愈香。

桂花糖有很多随意的吃法：饮茶时，挑一点点入杯，茶气上升时，满杯溢香，喝一口，齿颊留香沁入五内；煮汤圆、做甜羹时，在汤里加一匙，有无可模拟、意想不到的口味。

很多人吃了妈妈的桂花糖后赞叹不已，忍不住开口索要或要求“定货”。紧张得我只好偷偷藏起一瓶，以防妈妈的好客让我青黄不接。

这次出门日子有些久，但带桂花糖并不仅是为了解馋。在我，桂花糖已是母爱的一部分——闻着糖香，我总觉得还在家中，还在妈妈身边；吃着糖，我似乎看见妈妈站在桂树前，正一丝不苟地摘着桂花……

无论站多久，妈妈脸上都不会显出不耐烦，她总是微微笑着，做着令儿女们开心的事。想着，想着，即便异乡风寒，我心里也还是暖。

但是这瓶桂花糖我终于一口都没吃。不是不想，是想妈妈想得太厉害。一打开盖一吸气我就哭，哭得几乎止不住。不敢再吃了，怕吃了更挺不住，说不定不管不顾地就往家里赶了。因为我突然在桂花糖里闻到了妈妈的气息，预感到我想妈妈时，妈妈也在家中满心地念我。我实在不忍因自己的远游令妈妈牵挂、难过。

回家前，我把桂花糖留给了异乡的闺蜜。昨日接一信，说“承香甜日久，想往桂花糖的故乡一游”。想不到桂花糖还有诱人远游的作用。

相信远客来时，妈定会像喜欢我一样，喜欢这位桂花糖朋友。

云下人间

还未把羊牵下山，雨就下起来了。

我和我的小羊在守林人的屋檐下避雨。我没有说话，它也没有。雨点打到手臂有点凉，小羊挨着的脚上却很暖。

雨一停，小羊就冲了出去。它在前，我在后，相伴着往山下走。小羊站在雨后的林间打了几个很占便宜的喷嚏，又作出受用得不得了的表情，我忍不住笑骂了它两句。

走到山腰，我和小羊都猛地停了下来，像一颗从高处抛出的石子突然被斜出的枝桠接住。我们被眼前景色钉住了脚步。

我们的小村住在四面环山的谷底，若群山是一朵正开的莲，村庄便是花蕊或莲蓬。虽说外人初见都惊羡莲蓬上的日子不似人间的恬美，我们自己却并不觉得有什么特别。可在今天的雨后，它却真的不一样了。

往日牧放在高天上的云，被雨一层层地赶进了山谷，渐起的山岚与云朵丝缕缠绵，分不清哪里是天上、哪里是人间。

被雨洗清的空气绿玉一般含着小村，而傍晚的霞光，打在白白的云朵上，满谷飞絮都成了五彩锦绣。在云层之间，有银线飞泻如弦，只是不知谁有福去弹拨。而在千云祥集的谷底，我们的小村如梦里新娘，让我不知该怎样将她在心里小心轻放。

竟然只有我和小羊邂逅了这自然的造化。只恨眼睛不能当快门用，只恨口拙，无法把看到的传真给人听。我心急如焚。

我想哭，觉着委屈。小羊抬头看看我，又低下头去。

四周一片寂静。

蟋蟀的歌唱

五岁那年，我给过一只蟋蟀自由。

那只蟋蟀，是我用两张放在眼前可让世界变红变绿的玻璃糖纸换的（我这么说是为了说明那糖纸对我有多心爱）。

我把住着蟋蟀的小罐放在小椅子下。

开始，它叫得很欢。渐渐的，它的叫声越来越干涩，像两片生了绿锈的小铜片在无奈地鼓掌。而屋外面的蟋蟀们倒越叫越欢，声音水亮得像树上的雨珠，随时要滴下来……

我就在晾衣杆旁的草丛里把它放了，因为这里蟋蟀最多，它们在夜里的如丝合唱，常常让我舍不得睡。说不定它的家人也在这里，正望穿秋水呢！

那蟋蟀逃走的样子可真慌乱，怕我反悔似的。

那晚，蟋蟀们的欢呼差点儿没把我家的房子抬起来。

从那以后，我走在乡间小路，蟋蟀的歌唱总是格外清冽照人。我走多远，它们就陪多远。

当夜来，我们枕着谷香把疲惫的身体平放在梦里时，蟋蟀们在星光下的草地上安然相约。

风吹过来，像奶奶轻扬的蒲扇。

人和自然相视一笑，又各自侧身而睡，默契得如同一双碗筷。

孤单，不寂寞

柿子点亮一树。

妈妈坐在小凳上，捡韭菜、剥豆。她的蓝花围裙、皱纹和笑容，很旧，但很熟，像一块补丁妥贴地补在家门口。

小的时候，妈妈坐的那把小板凳是我的脚。它可以帮我拿到大人故意放在高处的好东西—— 一把豆种，一把剪刀或一瓶雪花膏……天知道我靠它得到了多少令自己胸口小鹿乱撞的快乐。当然，还有与之配套的父母在我脑门上演习的“一指暴力”。

山里的穷孩子没有布娃娃，更不知道还有电动玩具，偶尔见到一辆“军吉普”，回家告诉爸妈：“一个布和铁皮做的小房子，会着地爬，爬得比小燕家的狗还快。”

那时，小板凳就是集我三千狂想于一身的替身；它是小娃娃，睡在我背上；它是小滑车，滑翔在豆子铺了一地的晒坪上；它是玩具兵，替我在电影场上占地站岗；它是我的小嫁妆，一根竹竿串了，搁在小伙伴们的窄肩上，满村地吹吹打打。

那时候爸妈在生产队里忙，很少有机会让我赖在膝上，我的童年几乎是在小板凳上长大的。它就像我一母所生的姊妹，陪我玩。

可惜的是，小板凳不会开口，当我在黑黑的门口慌慌地等妈妈收工回来煮饭，泪流在它的脸上，除了陪我湿，它不会别的安慰。

有时不小心，把头磕在板凳上，当额就亮一大包，痛得我恨不得把板凳丢到山那边去。但不出三分钟，我又会乖乖地将它捡回来，擦干净，抱在怀里——因为我知道，它和我一样孤单。

山里孩子难得到城里玩，关于高房子、奶油蛋糕的概念都来自大人的闲谈。

听得馋了，就要去缠妈妈。妈比着手说："等你再长一个板凳那么高了，就可以看见城边那根大烟囱了，你就可以上学，妈就带你进城去买书包。"我就只好一遍遍地咽着口水等。等急了就站在板凳上，拼命踮脚，向着那大烟囱、那城里的方向。

后来进城买书包了，进城读书了，进城工作了，便不再需要小板凳垫脚、作伴了。

小板凳一直和妈妈住在小村。

妈妈坐着它剥玉米、串辣椒、洗衣服，那么依赖，像我的童年。

小板凳头上的那棵柿子树，快长到天那么高了，小板凳却在不易察觉地变矮。

妈妈的头发在柿红的秋天，一丝丝慢镜头般渗过来雪样的白。

妈妈的珍珠

黑的低领衫，白的珠链。可以年轻，可以老。

十八岁那年，妈妈给我买了这串珍珠项链。八年自我抗战，人已沧桑褪色，珠，却未黄。

看那每一颗珠子都坚守着那根细细的丝线，阵营坚固，而人的心境却是怎么努力都穿不整齐了。

在岁月面前，人有时竟脆弱得不及一粒珠子。

崎岖的锁骨所幸有珠链为帘。峥嵘的骨感倚着颗颗莹润，竟以流行自诩，速成抵挡丰润的本钱。

平常姿色如我，禁不起钻石在领间生辉衬拙。不如让珍珠围坐，虚心地向各种天然或人造的艳光妥协，下定决心不眼红地不多看一眼。

年轻的时候，珠链可做风情戴。年老的时候，端庄、娴雅的风度如大戏压轴，一点珠链却在顶间透出一折隐约的妩媚来。

峰回路转，珍珠是那永不声张地守候。

十八岁那年的珍珠项链，在十年后的空气里，依然从容地周旋于周围的衣香鬓影。就如妈妈的呵护和叮嘱，可以好好地用很多很多年。

珍珠也许终会在时光的砂漏里散失，但珍珠般的感激不会迷路。

再孤独的时候，我都忍着不痛哭。因为，我有妈妈的珍珠。

白色的睡

白色的睡。

像酒里的一块冰那么睡。

像水缸里的一个月亮那么睡。

像树梢上的一朵云那么睡。

当我还是个小姑娘时，在一本书上看见“白色的睡”这四个字时，心中就有说不出的喜欢。它让我在很多年以后拥有了许多件白色的睡衣，它让我所有的睡都有了月光和雪的颜色。

最喜欢，白色的棉质睡衣有宽大的袖子，袍式的裙身，袖口和领口有本色的镂绣花纹或细密的小褶子，在有风的窗前，翩翩若蝶。

也喜欢白色的缎子和服式系腰带的睡衣，那无领睡衣颈间的留白，和宽宽袖口里婉约着的玉镯，无端地就让人婉约起来，徐行缓语若莲。

似乎一袭白色的睡衣，可以清澈内心，也有让梦不怕黑的魔力。

其实，二十岁前我和爸妈、哥哥、妹妹一直生活在小山村。

那时，我没有可以穿着睡衣裸足碎步跑成一阵白色的风的长廊，更没有落地窗。我们有的是平常平安的日子，以及对美好生活的种种向往。

在爸爸妈妈的呵护下，我们像散放在山坡上的小羊，虽然吃着普通的草，却可以看到最美的风光。

白色的睡，是一袭呵护，是一袭静美，是微微倾身就可轻触的幸福。

白色的睡，是写在黑夜里的一行诗……

心香如炉，心香自生

喜欢在好空气里坐，在心仪的香味里工作生活。

乡下的空气，每天都是活的，每天都有新的嫩的香味加入芬芳的行列，每天都有旧的恹的香味悄悄湮灭。满鼻的清新就这样让人忘了这世上还有浊气。

连杂草都难得见到的城里，绿色都是刻意修剪造型过的。仅供观赏的草坪和绿化树，已退化了当年旺盛的生命力和充沛的调节力。况且杯水车薪般融入汹涌的废气流，根本连一口气都来不及叹出来，就消失得没影了。

于是店里有了空气清新剂卖。十几块钱买那么一大罐，有茉莉香型、桂花香型、柠檬香型，等等，应有尽有。

只要将那喷嘴轻轻一按，就俨然置身野外，而且那香气又不太贵，一罐能用大半年。香气也可随意选择，想要什么花香就有什么花香，想要香多久就香多久。

然而人就是这么怪，因为明知花香是不能贮存的，没有一朵花能在罐内住下，所以总觉得那花香怪怪的，太过人工，太过匠味。即使鼻子受用了，心里仍不肯苟同，不肯将就着被善意地欺骗着陶醉一回。

有段时间经常光顾花店，企图以鲜花来净化室内空气。可事实证明，鲜花只增加了一点点家庭生活情趣，对环境的内循环并不能起什么作用。

这些日子以来，我一心想找一炉檀香，只觉唯有那梵乐般的素香才能和书房里的纸墨香相融。许是臭美心理作祟，闻着檀香，心神便如圣水过滤一般，常心生檀香其实是一只无所不在的佛手的幻念。

在静夜，在花香、草香都高攀不上的高楼内，檀香和西洋乐《圣母颂》一样，是可以心无尘埃地静心聆听的。

檀香久觅不着。心如香炉，捂一份好心情，心香自生。

记忆中

懂得幸福是在很小的时候。

在知了都热得几乎要脱衣的夏天，一九七几年的一个午后，我光着脚板，颠颠地跑到小店里，富翁一般用六分钱给自己买了两根冰棍。

那时的鸡蛋不过几毛钱一斤，六分钱对一个小孩来说可算是一笔巨款了。它可以换来几本小人书，也可以换一把花玻璃弹子，更可以换很长很长的一根橡皮筋或一包彩霞一样好看的蜡笔。但是，我偏偏用它奢侈了自己的口腹。

“哎……呀呀……真……好……吃啊！”那时即使是给我一座城堡，也不肯换那份快乐和心动。

在火辣辣的大太阳下，我满头大汗却慢慢地走着，左右手各执一根冰棍。我满足得就如刚刚登基的君王，似乎全世界的人都在看着我手中的冰棍。我确认只有两个字才能明白我的心情，那就是——幸福。

幸福主要不是在于冰棍的好吃，而是在于我同时拥有两根冰棍；在于我吃第一根冰棍时想着还有一根可以继续的丰足和放心；在于知道有存货的殷实底气；在于知道有候补的冰棍在等着不必猴急又舍不得地小气吮舔，可以随便地、随心所欲地大口或小口，可以装作很不当回事地从容安排口型；在于可以吃出一种没有冰棍或只有一根冰棍的人吃不出的泰然和节奏……那两根冰棍多年以后还在我眼前冒着丝丝凉气，让我时不时地忍不住要深深地吸一口气，忍不住沉醉，温馨如昨。

就是类似这种简单却实在受用得犹如贴身内衣的幸福，照耀着我每日的奔波、散乱的长发、倔强的性格，以及黑夜里一个人的大恸和一次次欢欣雀跃。

一切的一切，因为幸福，为了幸福。

记忆，再见

有过一个景泰蓝的首饰盒，铜嵌蓝釉，盒面上古朴的红绿小花，犹如刚走入词谱的妙句。一握，沉得坠手。

是祖上传下来的。经过了五六代女人的手，琐碎的尘事朝夕历练，种种感叹都沉淤在端庄的釉彩里。

那出于亲情或爱情的手手相传，使它在木制的妆台上含蓄着沉寂的生命之美。它的珍贵在于年代久远，更在于曾目睹许多个爱着的女子怎样过了一生——在梳妆的清晨或点灯的黑夜，她们的心事和笑语，连同易碎的青春，一再被首饰盒的开合惊醒。并且经过了许许多多的劫数，终于传到我的手中。这其中的不易，值得人百转千回地疼惜。

小时，并不懂它有多好，只是高兴可以把一些小东西放在里面。

对它来说，遭逢了我，也是“遇人不淑”。后来因为糖纸、小铜钱、小珠子都被我宝贝得上了天，它才“盒凭物贵”，被我警惕得高高地藏在猫和老鼠都找不着的角落，还不忘时时去翻出来复习一番，生怕它自己白骨精似的冒烟逃走。

恨不得它会说话，我一想它，它就脆声答应，这是我那时常做的梦。

它跟了我二十多年。有一天，我隆重地往里面放了一条手链和一只嵌祖母绿的戒指。对一个女人来说，这两件首饰的意义和价值都很贵重，我开始真正珍惜起那只首饰盒。

然而我的小心和憧憬并没能成全自己，那个景泰蓝的首饰盒，终于被我藏丢了。

一起失去了的，还有曾经的岁月。突然间成了心里很穷的一个人，我才觉着了断腕般的痛。

往后，就剩下这个景泰蓝首饰盒的故事，可以说给后人听了。直到，谁都忘了。

姜花

姜花盛开那晚/夜盛满香//风歇下了/鸟藏起翅膀//那样的香/犹如很紧的拥抱/要你一辈子都不舍得

说，现在的生活

美

枕头睡了/梦醒着//门睡了/窗醒着//爱睡了/寂寞醒着//蜜糖睡了/盐醒着//你睡了/我醒着//这么悲剧着/这么美着……

春·江南·雨

微醺的午后，在庭院里乍开的白玉兰花树下随意翻动一本旧书，在旖旎的文字里突然看到这古龙意味的短句，就像是在玄色丝绒上见着了翠色幽深的玉件，不由得你不心生缠绵怀想。

好像江南的雨就注定是如诗如画如小风拂过如小暖熨过的温婉，就是为美好浪漫的事准备的必须场景。就如，那白娘子就得在断桥烟雨中，遇着那个撑着一把油纸伞的冤家许仙；就如，那苏小小的琴声只能在微雨里，纸鸢般轻滑过平湖秋月……

谁料到，这美好的春雨原来也只能是作为口感朴素的家常生活的味精少许，而不能当米饭天天享用的。

今年的春雨把我们温柔拥入怀中后，就再也不舍得撒手了！

快个把月了吧，雨依然下得那个执著啊，还伴着没心没肺的欢快小雷，全然不顾这么一厢情愿地倾囊而出也会让人生怨生厌生恨。

如果可以，相信会有千千万万双手争先恐后抢着撩起雨帘并束之高阁。过日子，也需要透透气、换换景。

纵然千般柔情，也要一丝丝、一寸寸地给，才有百转千回的珍惜、梦里寻他的在乎，和蓦然回首的惊喜。

就算想好了要一条道走到黑，一路上也可以分分段落，抬头见见天光云影，再埋头走自己的路。

烟花的动人，因为突然而至的惊喜，还因为转瞬即逝的不舍。

水妖的歌声

很想听听水妖的歌声。

古希腊神话里说，水妖的歌声美妙得勾魂摄魄。那些听了水妖歌声的海员，都会迷狂得争先恐后跳入大海。

为了能投入那歌声的完美，海员可以连呼吸都舍弃，宁愿以生命相投，哪怕只是在那歌的海里激一朵小小的浪花或者不过是小小的涟漪。

我想，那为水妖的歌声而惑而跳海的人是幸福的，因为他们是在一种美的极致、感动的极致里死去。

这样的机会不是谁都能遇到，能聆听水妖的歌声的耳朵也不是谁都有的。

我不知道水妖的歌声是一种怎样难以抗拒的诱惑，但可以想象如果那水妖的声音正是你爱之若生命却已永远失去的爱人或亲人的声音，而那声音又声声呼唤你，任谁都会欣喜若狂地向那声音奔去。

如果水妖还在，我会到它出没的地方夜夜去等，等着它给我一个跳海

[illegible]

[illegible]和心愿是真，我的无畏和悲壮是真。

[illegible]不理智也好，这样的激情我才觉得自己不枉性情一生。

如果感人爱情悲剧了也可算是水妖的歌声，那么你是不是和我一样已经听过，或者正在听？

钻戒

曾经有过一个钻戒的。

只是现在已不戴在我手上。

钻戒上好像还伴侣着几粒细巧的蓝宝石，在钻石的闪烁中偶尔掠过幽深的一瞥，像很哀怨的女人的眼光。

那钻戒和我的手指和谐得如一对美满的伴侣。可我却觉得那种贵气不是我内心的光芒——戴着它，我心慌手笨，麻花辫都结不像样。

我像收藏一枚藏书票似的收起了它，直到它终于从我身边走失，走成了我生命里的一个句号。

我并不富有，但我并没有因为钻戒的走失在意得捶胸顿足，因为送钻戒的那人的心意在我心里一直重要，从未轻过；因为我真正在意的东西藏得很好，没有人能够得到。

钻戒在时，我有过不安，怕有闪失。毕竟是一个人的心意，而我这辈子也许永远买不起，就算买得起亦不一定会有买的心情。

当钻戒真的走丢时，我也很快平静，从此习惯于或说是安于戴草戒的日子，朴素而踏实。

我在每个指盖上都种上清清白白的月光。那比钻石更亮、更贵的想念和感激，奢侈地戴满了我十个手指。

像我这么一个姑娘

有了一个小小的花店。

可惜店小，用不得古龙的“花满楼”，就叫“一朵玫瑰”。

虽名“一朵玫瑰”，并不是只备玫瑰，也有别的花。品种不太多，但够卖，够挑，够人喜欢。

拾掇后的花店，门面是一间装扮一新的茅屋，两扇装有铜环的小木门，小小的一盏风灯，在檐下，悬着。迎面的竹屏风上背身而立（似乎刚从山野归来）蓑衣下摆处，花阶如音阶错落有致。含苞的花蕾，只待有人捧在手中。深深一闻，便豁然开颜。

花有很娇嫩、很温柔的性情，我却好用很古拙的陶罐。

陶瓶或木的容器来插花，在敦厚的背景下，即便是个性散漫的非洲菊，亦让人感觉是久经闺训的端庄女子，只可品赏，不可拈玩。

花店的竹案上搁着一本线装书，里面是手写的解花小语。买花的人可根据需要在书里找到合适的花意。

卖出的花自然是要包装过，即便是有人只买一朵花，亦要为他（她）隆重推出——这是卖花人的陪嫁，也显出送花人的慎重和精心。

店内还有一点点若有若无的音乐，老友的问候般亲切。在你驻足的片刻，与你牵手；用你最习惯的手势和力度，把你挽留。

每一个来买花的人，都让我感觉因花而生的浅浅的缘——这喧嚣的商业尘世，毕竟还有那么多有心人，用这么性情的方式，关怀或是爱着一个人。虽然这“受宠”的人不是我，我却一样的感动，花都恨不得白送。

像我这么一个人，在闹市开这样一间花店，也许是另一种逃世方式。花店的生意一定不差，钱呢一定不会多出来。

也许终有一天，所有的浪漫情怀都会消失或改变；但是现在，我在小小的花屋里住着，为爱花的你而开，开一天也是永远。

错过

喜欢一切美好的事物。比如衣服，比如小玩意儿，比如朋友。

往往是太喜欢一件衣服，一直找不到一个相适的日子隆重推出。舍不得久了，好好的衣服在橱里成明日黄花。或者衣犹鲜亮，人却在不知不觉中憔悴不胜衣媚了。

一瓶香味正合心意的香水，因为好闻得像一段浪漫情节，一直舍不得启封。怕启了封，美好的开始会很快挥发成空瓶的结局。

当有一天下定决心要衣鬓添香倾己、倾人、倾城，在那箱底开矿，却惊见瓶里香魂已散。一箱的碎香，可惜再收拾不起，徒留素腕淡衣空等。

衣服也罢，香水也罢，错过了也就错过了，没了也就没了。偏偏有一种朋友，因为爱得太深太重，怕一说就错，不敢倾诉。

错过一次也就错过了一生，当有一天发白齿松黄昏相逢，再笑说一往情深种种，黯然神伤的朋友啊，纵然双方仍有心有意，又能奈青春何？久定的尘埃已无力在阳光中飘浮。

看过了太多错过，看过了太多来不及、舍不得种种，因为迟疑最终被时光的飞逝一一背弃。

喜欢的东西，要舍得拿出来用；好东西要舍得留给自己享受；心爱一个人，要有勇气主动及时地去承受来自对方的情绪和结局种种。毕竟人活着只有一次，而喜欢和爱人又是那么不容易留存的事。

鱼儿不怕黑

有一条鱼，女的，不远万米地从花鸟市场长征到了五楼的一只玻璃花瓶里。

鱼是蓝色的，花瓶是透明的。从此，我成了养鱼票友。

有鱼的日子突然生动了，脆薄的生活有了荡漾的水深。

那蓝绸子一般轻盈妖媚的鱼尾，灵动了空气，也灵动了心情。

出门几天的时候，我居然也会像与猫相依为命的资本主义老太太似的，先得把鱼托付给谁。一直不忍看那些打散着头发、穿着廉价睡衣在小区里施施然遛宠物的贫民贵族，那样脆薄的繁荣常使我莫名地腰发酸头皮发麻。

不曾想自己也会堕落其间，且有滋有味得跟真的似的。唯一的区别是我养的是鱼，想要牵着散步难度比较大，不然也难保我不会俨然三代贵族传人似的牵着一条鱼招摇过市，还视路人捏鼻为妒忌。

都说玩物丧志，好在我无鸿鹄之志可丧，所以只是自觉荒诞。不过没有忘记告诫自己，滥爱和无爱一样让人触目惊心。

替那鱼想想，跟了我，也是遇人不淑——换水不定时，喂食随兴致，若不是它有崇高的娱乐信仰和坚强的活命意志，恐怕早就没了。

我曾自诩鱼道主义地试过给它找了一个俊朗的鱼新郎，可没过两天那厮就肚皮朝天翻了白眼，不知是艳福太浅呢，还是这里阴气太盛。

处理完亡鱼的后事，我也断了从事鱼媒婆事业的念想。终于相信古人说的，我不是鱼，怎么知道鱼的心思呢？既不懂鱼的心，瞎起什么哄，简直就是草菅鱼命嘛。

又得一教训，自作聪明有时比愚蠢更具破坏性。难怪天下的老板大都喜欢听话的笨人。

鱼有一非常优秀的品质，就是它不说话。不说话就不太会讨人嫌。在它的面前，我不得不提醒自己多领悟少感叹、多动手少开口。不然不是显得我比鱼还不懂事嘛。后来遇见命犯口水的人，都很想劝他们养鱼。

鱼还很优雅，随时可见它在有限的空间里无限美丽地从容曼舞。

虽说在水中想要狂奔也是不可能的任务，但它不让你赏心悦目总是可以的吧，比如它可以不游得像个舞者而像个羊癫疯病人。我又能对它怎样？我愿意相信它是一条淑女鱼。每当遇到麻烦欲作河东狮吼时，我就赶紧想想鱼，然后便能化心中的剑拔弩张为拈针绣花。效果呢，当然，和企图有距离。不过这不是鱼的过错。

一养鱼专家问我，你这么爱鱼，那么你知道鱼儿喜欢开着灯睡呢，还是关了灯睡？我老实地说，我不知道，但我知道鱼是裸睡，因为我从没给它买过睡裙。

也许，从养鱼得来领悟不过是自己给自己一把梯子，在生活的沉重里一再踉跄着犹不能了然的道理，哪那么容易就在享受一条鱼的偷安时豁然开窍呢？不过是试图对自己的笨拙作出一种调侃的姿态罢了。

鱼不能飞，我也不能。我们以最本真的一面相见，相互娱乐。谁说娱乐一定只是一种消遣？至于我不知道鱼是开灯还是关灯睡，这不算大过错。很多夫妻生活了一辈子，不是也不知道对方是喜欢侧向左边睡呢，还是侧向右边睡！

天黑天白，和鱼一起，在方寸之间想象海阔天空的生活。孤单，但并不寂寞。

秘密的秘密

我家老鼠在去年春天慌里慌张地拖进洞里一根穿着丝线的针，跟个宝似的藏了起来。

大概是太激动，错把大白天当作月黑风高夜了，办完了事，还回到现场踱了回方步，把我这个大活人都没放在鼠眼里。我又不能跟它计较，索性装没看见，成全了它以为只有自己知道的偷偷甜蜜。

夜来无眠，我会揣测老鼠是拿那针在花前绣花呢，还是用它在月下剔牙？这样的想象让花绷般紧绷的夜晚不知不觉地松弛下来，踏梦无痕。

秘密着老鼠的秘密，也算一秘密吧。

谁没点自认美好的秘密呢？只不过我们的常被鼠辈掐眼一算后，以舌代步穿行坊间。多少暗香萦怀的快活，都白白消解于旁人无关痛痒的笑谈中了。

秘密因为不在人前占平方，在心里就格外舒展、笃定。像心跳，妙不可言。

有鸟巢的树不怕叶落，因为它有鸟的歌唱站满枝头。有美好的秘密的人，再孤独也不会寂寞。

秘密不能太大，大了不易收藏，容易暴露目标；也不能太小，太小了极易藏丢了。最好的尺寸是刚好让别人忽略，又正好够自己揣着偷笑。

深夜散步，意外目睹一树花第一个将春天满怀捧出，那花苞次第打开的声音让所有的乐器都屏息肃立，花香光芒一般照亮了周围的空气和街巷。

一棵树的随心之举，无意之中给了天地间美仑美奂的画面和音乐，而这从此成了那个散步的人的秘密，但永远无法影音重现的与人分享，也无人能偷走。这样的秘密是美丽而不累人的秘密。

暗暗喜欢一个人，却不说出。心跳有时如发了疯的响鼓重锤，有时如打盹儿的蜗牛。心情有时想跳舞，有时想跳河。

这样的秘密是天堂也是地狱，这是一场一个人的战争，输赢都激动人心。

看上了商店橱窗里的一件东西，喜欢得紧，偏不买回家，而是常常作随意状隔三岔五地去浏览，直到看熟看厌看得呕吐，或者那东西被人买走，终于释然。这样的秘密让人怜惜也让人尊重。

美好的秘密是一个人的矿藏，虽大多不能见天日，但证明有资源。有秘密的人是有内容的人、有趣的人，可以慢慢发现、品评的人。

美好的秘密是一个人的熏香，在自己的空间里以香自焚，平方越小，香气越浓。

看好我们的秘密，如看好我们的存折，或爱人。

小夜曲

近来耳朵突然高贵起来。

通俗的市声聒噪过后，无伴奏和声从那重重的山间如月升起。两耳似被一汪雪山里涌出来的春水荡涤，清新若雨后新生的嫩草地。

只是因为，我从市喧深处搬到了草木深森的郊外，与庄稼田园比邻而居了。

我甚至可以在清早上班去的路上看到露珠。在那随便绿着的屋角路边，小口小口的露珠鼓圆着大腮帮，透明的脸颊上有阳光新画的小小彩虹——这要很仔细很仔细地看，才看得清楚。

曾经整夜开在枕边般的汽车声为虫的清唱所替代，大交响变作了小夜曲。田园里的小夜曲苍白消瘦，但脆嫩得可掐出绿绿的水来。

夜莺的情歌在窗外的银杏树上，舒缓悠扬如一把轻轻打开的折扇，优雅而浪漫。让人不禁想起亮丽露肩晚装，艳妆的眉眼，夸张的蓬松的裙摆，以及水晶的高跟鞋和灰姑娘的南瓜马车。我相信鸟的王国里必定也有人间一般的盛宴。

我从花店买回的玫瑰在窗台上木立，假花般缄默做作而无生气。而我信手在田边采回的一大蓬野菊花却如飘坠的音符，极旺盛地欢唱着书架的空间，那份清新和自然似乎是把竹制的书架当作了它家门口的竹篱笆。

我的梦里不再有莫名惊惧的追逐，大片大片的花静静地开放着长夜，花香满屋里走动。

我的睡眠是一本随意摊开的书，每一段都文笔优美可以朗读。

看蔬菜在畦上自由自在地长，青青的草随意地在空地上溜达。秋分、寒露毫不闪避地以不同的笑容莅临，我满怀诧异和感动，任全新的寂寞、释然和庄稼一道葱茏我城外的日子。

妈妈的葵花

昨天回家，看见房子的西面多了一片葵花，已有半人高了。妈妈说："葵花开了，你们都回来，拍张全家福！"

种葵花曾经是清贫童年里一笔难得的亮色，它比种蓖麻、芦秸更具怀旧的美。

和妈妈一起，让葵花籽纳鞋底似的在一个装满土的破盆里立正，再洒上一层草木灰。育花秧的盆子大多放在阴凉、潮润的矮墙上。

过不了几天，那花秧就在某个喝醉了露水的早上从瓜籽壳里直起了身，极嫩的腰身上长着两片米粒般的小叶瓣，头上还顶着两片未及掸落的瓜籽壳，然后是一天一个模样地长大。

一棵花秧的诞生，是我最早由劳动得来的惊喜和奇迹。虽说创造一株花秧的生命在大自然中算不得什么大事，但由它而缓缓到达的成就感和漫长的有所期待，使车轮一样转动的日子，骤然轻快。

随着花秧下地，长到比人还高，然后开花、结籽，烦恼也接踵而至。妈妈小心侍弄它们的样子让我说不出地妒忌，在屋檐下捧着花盘掰瓜籽的无休无止更让我愁得不行……

那样的时候我觉得家里那条小狗都比我过得好，它不高兴了还可以逮谁是谁地乱发脾气，大不了爸爸骂它一句“狗东西”——听听，骂得多么亲切实在。

不过，葵花开时我还是挺高兴。黑黑的草房被金黄黄的花盘簇拥着，花的外面是宽广的绿野，远远看着，人像在花蕊里的一只蝶。而且，当那么一大片葵花在我头顶上转着方向地寻找阳光，场面是多么壮观！

它们的脖子因转动发出的声音，定是天籁，虽然我听不见，相信会有比我好福气的耳朵在听，在品。

其实我更高兴的是，下雨天，割好了兔子草，爸爸在堂屋里做木工活，妈妈在门口缝衣做鞋，我坐在门槛上嗑刚出锅的葵花籽。这样安闲相对的时光，比葵花的金黄更加金黄。

从菜地到花园，葵花的住处并没改变，不过是说法变了。一样的种葵花，心境也已是迥然。

那年的葵花是为了实在地换点钱，添补家用；而今年妈妈的葵花，已是纯粹地美化家园。这为了一张好看的全家福而种的葵花，开得轻松而浪漫。

我想，待照片拍成后一定要挂于我小小的卧室，那种温暖和富足，哪怕是梵高的《向日葵》也无法替代。

我想和它一起，飞

一天的奔忙后，在窗前坐下，看着黄昏向那边的树林散步而去。

一只鸟飞来，问候似的，停在暮色的枝上。我突然感觉它眼睛的黑亮。它目不转睛地看着我，我的视线被它牢牢牵引。

我们像一见钟情的情人，似乎很想互相倾诉些什么，又怕一开口，会破坏了这夜的奇妙氛围。

一种温柔雾般起自心底，莫名地把我迷惘。仿佛陷入爱情，我惶恐无措。这时候，我很希望自己也是一只小鸟，能有一对飞掠夜的翅膀。我想和它一起，飞。

鸟是灵性之物。它的清婉之喉，它的御风之翅，它的精巧而细致的五官，无一不是造物主的精心杰作。

难以想象，如果没有了鸟，那树林会不会寂寞得不肯为林，而去四处溜达。鸟似伊人，不论它在哪儿小憩，都会令平板的日子生动且充满乐感。

不知道那没有鸟，也没有树林，不长庄稼、只长水泥房子的城里，有没有人想念小鸟，有没有人如我一般为鸟心动，并以想飞的心情，向往用鸟声洗脸，用花香润喉的绿色乡居生活。

多么希望，倦飞的鸟儿都有自己的树林，久绿空怀的树，都有心爱小鸟——

在歌唱。

小鸟回家去了，我把为鸟而开的窗轻轻关上。

绣架

屋后菜园，是妈妈的绣匾。

紫竹的篱笆，围起一小块蓝蓝的天，妈妈常在这里飞针走线。

在篱笆边绣一丛扁豆花。蝶来翩翩，花瓣般的偶尔歇在菜芯葱尖。菜园里的嫩色不会因时光流逝而苍老憔悴。

午后或傍晚，妈妈总是适时调整线色，在她的绣架上，每一片菜叶都是当令的怡红快绿。

这是块好看又好吃的绣匾，妈妈的浪漫都实实在在地绣在上面。每一件都是妈妈的宝贝，这绿的一畦是翡翠，千金不卖；红的是红宝石，串起来挂在檐前晚上灯也不需点；那里是紫水晶，贵客来了，正好上桌面。

妈妈的宝贝谁来买都不卖，若你是真的喜欢，送你一篮回去尝尝鲜。

桌上的菜每天都是活的，隔三岔五地换着新鲜。菜是好吃，菜园也是好看，可妈妈那么忙，好怕她累着。妈妈却总说："这是农家的本分，看着菜在自己手下一天天长是件很开心的事，再说这收拾菜园是很简单的事，不会很累的。"

的确，松土，上肥，挑水，浇园，是很简单，可是如今手头阔绰的乡下，多少菜园里的荒草已没了人烟？不再种菜的农家也许有的是买菜吃的钱，但看着他们的曾经青葱碧绿的菜园被草荒芜，我心里有异样的伤感。

正如越来越多的农家用上了煤气灶，柴灶渐渐成了摆设。以后恐怕有一天会再见不到鸟儿归巢、羊儿归厩时，小村上炊烟如雾如诗的一派融融人间烟火的乡村暮景；恐怕炊烟袅袅的曼妙之姿，只能在字典里找到了；还有那上山打柴，帮妈妈烧火，在炭堆里煨番薯、爆豆子的童心童趣，恐怕也再不会有。

菜园和柴灶的隐退是文明的进步，是经济水平提高的体现——这是堂皇的大道理，然而这样的乡村总让人觉得缺少点什么。

所以，我偶尔也到妈妈的菜园里看看，帮忙递递“针头线脑”什么的。虽然妈妈是循着她的本分，我是因着怀旧，但不同的“政见”并不影响妈妈绣架上蔬菜的蓬勃长势。

最美的女红

在这年头说女红是不是很老土?

总觉得“女红”是和那些执轻罗小扇、着翠色罗裙、笑不露齿的闺中女子连在一起，里面有忧怨而怀春的气氛。

绣绣花、缝缝衣、做做鞋、织织毛衣，并不是太难的事，但一说“女红”两字，似乎就从手工升华成一种情致、一种艺术了。

大多数织毛衣的女子想的都是衣成时穿上身的感受，很少会有人心甘情愿地享受织毛衣的过程和悠闲心境；而像我这样抱着一种酸溜溜的小情调且沉迷此间的人，即便算不上孤版，印数也不会太多。

无幸身在那个年代，无缘在花荫下、绣架前古典成窈窕淑女。好在也就不必在重帘后哀怨、在锦榻上伤春；也就不必偷偷摸摸在女儿墙头看那飞奔长安的快骑；被人负了情也不需要焚稿悲啼，而是把旧日情诗一首首去换了稿费买新衣……

不过我私心里，其实还是很喜欢做个会点女红的女人。能动动剪子，捏捏针线，给家里添置一点小玩意儿，给自己添一条长裙或在黑布鞋面上绣一朵斗大的红梅，还能偶尔爬爬格子……无论手艺如何，我真的很喜欢这样的自己。

有你就是好天气

每一个无你的日子，都是伤口。

我不知道，我并不辽阔的肌肤上，能安置多少次不会愈合的痛。

已是春天。你那边吹过来绿绿的风，不猛，刚好把我的窗帘吹动。思念，一朵朵越过门槛，开满梨树。

青藤的木屋，茶香正浓。一个家的完整，只等你，以小小的门环，把一个良辰扣响。

独守光阴如四壁的藏书。竹简、线装……很多朝代温柔同眠。随手翻开一页，你都在里面鲜活，从不同的典故里策马扬鞭，向着你的爱。

很想看看你的眼，那里面住着我深爱的秋天。我所有的谷仓，在你看着我时，一一蓄满。我瘦薄的身躯，悄悄丰盈。即便有雨，亦是好天气。

太阳为什么还要升起？月亮为什么还要圆？玫瑰花怎么可以开得一如既往的红艳？

再相见的日子，如那重瓣的花儿。我一瓣瓣地数呵，因为太认真，每次都数错。徒然在花芯里空等，不知道你会从哪一个花瓣后向我靠拢。

舞曲响成一座空屋。除了你，还有谁，能拥我翩翩，飞扬若一朵盈盈的雪。我端坐如松，心底排箫颤吟。

好多次你来，书香剑气，穿墙而入。你正要对我说句什么，我却紧张得梦醒。

想你想得好苦，但我还是满心快乐。我知道，你终会穿越许多屏障，像一片雪白的帆，飘来。在我的屋旁，飘展如酒幡。那里的时光，每一杯都是陈酿。在坛里久腌的思念，就是最好的下酒菜。

无你的日子，处处有你。我把你的名字，种遍手心手背、白天黑夜、房前屋后，种瘦了我整个烟雨江南。

心安

微风吹灭花香 / 黑夜藏起方向 //

夜行的人 / 心安是唯一的光

第二辑　身边的故事

我不是个靠卖故事为生的人，却喜欢听各种各样的故事，也喜欢躲在一个昏暗的角落，看人情的冷暖、事态的炎凉……

也许，人永远是卑微的；也许，故事永远都无法摆脱那与生俱来的苍凉和忧伤。但，只要怀有一颗惜福感恩的心，就永远能有聆听阳光的心情。

一只叫作“戏”的酒杯

当舞台上的追光灯亮起，台下寂静如铁，成百上千的观众隐入黑暗，消失了似的。

小小的舞台虚拟了整个世界，台上长长的一生，在看客的眼里，短得就像看蚂蚁经过一场阵雨。台上的细节和现实中的如出一辙，只是台上的痛苦和欢乐都怕人不懂似的极力渲染，而不似生活中的拼命掩饰和回避。

其实，那演戏和看戏的都参加了这出戏的铺排，并且一起为自己演绎或想象出的而感动，而旁若无人地大笑和泪流满面。

所有的人都借着这剧场、灯光、剧情完成了一次心灵的飞扬，借这只叫作戏的酒杯，醉出了久忍的欢欣和泪痕。

这里的人有些傻，也分外可爱。

人的可爱并不仅仅是对戏的投入，还有戏散场后，卸下彩妆、收尽泪痕地走出剧场，穿过不长的街道回到家里时，他们脸上是什么都未发生过、经历过的平静。如果说人入戏就如在黑夜里睡去，那么出戏就如同在阳光下醒来。

也许是看戏和演戏让人学会了坚强，使人在一再面对生命里的悲欢离合、痛不欲生后，仍能一代一代地繁衍下来。

如果哪天误入台下，看见一个人，在黑而静的观众席，抱着自己的肩，看着别人的快乐和悲伤，流着自己的泪，我会感动、同情，但不会上前劝慰。因为戏会过去，走出剧场后还有更沉重的东西，我们都不得不自己去承担起。

听，朋友的心声

请求

菩萨啊／就让我每天看他一眼／／菩萨说／原谅我做不到／看一眼怎么得了呢／看了／盐都甜死人呐……

开一树欢喜

叶子还没来，玉兰花就急着开了。

玉兰树上银花结盏，圣洁、明亮，一朵是一朵，绝不含糊。它的芬芳和光芒，仿佛它开着一树月亮。

是在一个黄昏，我和朋友散步到古寺前，看见很大的一树玉兰花。周围很静，静得好像都在倾听花开的声音，好像花开是在唱歌。

山坳里的风吹得花瓣一瓣瓣地落下来，一地飞白，如雪。

古寺里有一尊千手观音。寺不远处有户农家。

观音很忙，虽有千手，但脱不出身到寺外走走，想必也无暇感叹玉兰花的好看；农家是种药材的，平常除了莳弄草药，就是把药材送到外面去卖。农家是很勤劳、实在的一家子，恐怕也无心关注玉兰花的去来。

如果不是我们来，也许这玉兰树忙忙碌碌的一季花开，却无缘拥有一声喝彩。我无端地可惜起这一树的白，可惜它花开的寂寞，可惜它花谢的孤单。

但是，花开就是花开，为什么非要有人看见、有人击节？为什么非要为某个看客完成一个花季？为自己好好开一回就不行吗？

并不是什么事都非要一种外在动力，有一种更深远、更坚韧的力量是来自内心，来自自然的天性；并不是做什么事都需要一个说得出的理由，有一种声音是从自己的耳朵里发出的，那是对自己的体恤，那是天籁。

完完全全、放放松松地做一回玉兰树，开一树自己喜欢的月亮，看天会不会塌下来。

扇底光阴

婉的坚强是有目共睹的——檀在那个冬天的突然离去，并没有人所预料的那样将婉击垮，她甚至没有在人前放肆地号啕过，只是人瘦了许多。

伤心总归是伤心的，但婉还算平静地接受了一个人的现实，生平第一次孤单而笨拙地度过了漫长了寒冷的冬天。

春日晴好，她已经能整理以前的照片和檀的书。当房间里重新荡漾起亲戚般熟稔的民乐，她觉得檀其实从未远离，而是一直在她身后左右。有时她几乎听到了他的咳嗽和他往茶杯里添水的声音。

后来夏天来了。在某个夜半，忽然停电，睡梦中的婉翻了个身，把手往后边一搭，再自然不过地嘟囔一句："檀，热。"几分钟后，没有等来凉意的婉再又一次重复"檀，热"时悚然惊醒，她的心里充满了巨大的恐惧。

她好像刚刚得知，檀是真的不在了，而且永不再回来。

和檀生活的日子并无惊心动魄的波澜。檀很普通，他对婉的呵护自然也是很家常的那种。比如，婉特别怕热，很多个夏天婉都是在檀的蒲扇底下才能睡去。后来有了电风扇，可檀说电风扇吹着容易头痛，对身体不好。婉午休时，只要他在家，他就用扇扇着她睡。有了空调后，本以为扇子该上柜顶长休了，不料常常停电，檀的扇子又一如既往，总在婉觉得热时不约而至。

檀自觉是一棵成长多年的大树，理所当然地阴凉着婉；婉坦然地享受着来自檀的温馨，并不觉得有什么特别的受宠和了不起。

所谓死别的疼痛，在这热醒后茫然不知身处何处的深夜，像一枚锲入胸口的钉子，令婉猝不及防。因燥热而异样清晰凸现的虚空，在深夜里发出锐利而无声的尖叫。

没有了檀的夏天特别漫长，婉常常是叫着檀的名字醒来，又握着檀的名字睡去，有如陷入了一条河。也许过了夏天她就能上岸，也许要等到檀答应的那一天。

扇子依旧，扇底光阴，依然在柴米油盐的馨香中，流转……

锦落凡尘

锦说，只有婚姻是危房，外遇才会是龙卷风。

锦还说，对前夫的龙卷风免疫过当，她才会成了废墟。

锦说的废墟是失婚单身。

废墟了的锦倒是活出光彩来了，不但不像人们想象中的抱窝后又空了巢的可怜的母鸡，倒像是凤凰涅了槃、孔雀开了屏。衣着发型之时尚就不说了，连身材都被她的一、三、五瑜珈，二、四、六暴走，十天半月的来一回香熏 SPA 的，捣鼓得越来越弯曲，令许多准备看笑话的看客的眼光不自觉地发直——很直很直，直得像又快又利的小李飞刀。

锦的新生活让本已为她储备了大把同情的泪水和安慰的言辞的好心人们多少有些不适应，继而对她可能的破罐破摔表示出极大的关心。

他们通过排查、打听、卧底等侦察手段，试图帮她找出外因，并予以人道主义的挽救。倘若找到半点疑似的星星之火，赶紧以传销似的热忱和形式迅速燎原及广而告之。如果遍寻不着，就学美国人对伊拉克的那套——没有找到更证明有问题和态度不够合作。

总之，失婚女人不蓬头垢面、到处哭诉、一夜白发什么的，成何体统？就算真的是化悲痛为力量了，也得在经人百般劝说、鼓励之下方可行动嘛，怎么可以自说自话地就坚强得没事一样了呢？真是太不懂事了！

偏偏，锦向来不是以博得别人的同情为荣誉的人，也不是遭人非议就当了真就痛不欲生的人。她说，女人的魅力来自于独此一家、别无分店的特点，而不是全票通过的优点，而特点往往是带有争议效应的。一句话，就是有非议证明还有本钱。所以非但不用捶胸顿足，还可以窃喜。

锦曾经恨不得把前夫剁巴剁巴喂了果子狸，现在却对又开了梅花的前夫大为佩服和感激。佩服是因为他眼明手快，一经发现爱情的歌剧已成肥皂剧，就果断地退票离场；感激是因为幸亏了他的成全，她才有机会从婚姻的柴、米、油、盐里抽身而出，投入了单身的蜜糖里。

有时候对着镜子臭美时，她甚至对前夫有了些许歉意，因为以前的她居然认为不需要为他化妆、喷香水、穿蕾丝内衣、使一点撩人的风情，导致他没有任何抵抗力、经不起一点点诱惑，一下子白纸就被变成了花纸，而她偏又嗜白如命不依不饶。事过境迁后想想，对于他的遭遇激情，她是有一定的责任的。

锦的废墟不但没有被荒芜，差一点还成了风景。春水般的客人纷至沓来，有的想与她合作一把，共起高楼；有的想许以重金，开发度假别墅。浪漫的带来了玫瑰花，实在的带来了口罩、消毒水……

但废墟仍是废墟，眼睛雪亮的人民群众用了高倍显微镜，也未发现有花红叶绿暴动的迹象。着实没趣。

锦对闺中密友说，总觉得现在喜欢她的男人钱是多了点，可情却少了点，三句两句就直奔主题，想来无非是看中她仅剩的姿色，没劲。

闺中密友当头棒喝，想当初，多少真情都曾大方付与那些个无情又无钱的主，如今何妨将你瓶底的剩酒成全了那有俩小钱、又懂得向你买醉的酒客？好歹是有一样比两样都没要好吧！莫非真要等到什么都没得看了，空瓶砸了也没人理了，你才悔不当初？

锦一会儿觉得女友说得不对，可又找不出理由反驳；一会儿觉得女友说得也对，可又不甘心如此这般。

锦只好一边琢磨着，一边废墟着。

日子一天天过得像踱步的驴，一年年过得像逃跑的贼。

缎子

缎子不是丝织品，是一个单身女人。

缎子的单身源于嫁人未遂，并非出于觉悟。

鉴于既成事实的局面，缎子只好拿单身的旗帜，做了被迫从婚姻退场的梯子。

缎子是打心眼儿里对婚姻一往情深。她的混迹于单身江湖纯粹是作秀，缎子是她给自己取的单身艺名，她是随时准备着从单身的行当跳槽的。

缎子对婚姻的热爱，曾有一典型案例。某次聚会，一已离婚三次的女子感怀自己的不幸婚姻经历，说到伤心处，无语凝噎，席间一片唏嘘、青衫尽湿。一直埋头吃鱼的缎子突然一脸羡慕地迸出一句："你命真好啊，有三次婚好离，我连一次婚都还结不成。"举座皆愣，既而哄堂大笑。苦大仇深的史诗，生生被她不合时宜的肺腑之言置换成了骨头轻轻的小品。

缎子的痛处是她的男友临婚换新娘，而她就是被换下的那个。男友给缎子的理由是那个女的有了，他得对她负责。

缎子虽然情急之下也很没风度地像市井泼妇般骂了那女的不要脸，那女的回了她一句"都一样，早晚而已"。但事过境迁后，她不得不佩服那女人的直白和身手敏捷，并感叹不要脸也要趁早啊。这么糙的话她也说得出口，可见这事真的伤到她了。

缎子现在做保险，就是一不小心就会断了六亲的那行。照说保险是帮人居安思危的好事，不知怎么就弄得人人喊躲了。

不过，缎子的业绩不错，她说她对自己身上的某些零部件和配制不满意，她做保险是为了多赚点装潢费、技改费，以增加上街的收视率及被求婚的点击率。

这么明白又努力的一个人,不知怎的就是没能把自己的爱情保单经营好。

说缎子不能不提她的另类妈妈。缎子的妈妈是这么安慰失恋的女儿的："一个女人若一辈子只爱过一个男人，到了阎罗王那儿是要吃巴掌的，现在好了，你该高兴才是啊！"

缎子问她妈："那你会不会吃巴掌呢？"缎子的妈妈自豪地答："怎么可能？我肯定得五角星！"她见缎子老大不小了还很传统，就开导说，做寡妇的是我不是你，若爱他又一时结不了婚，就同居嘛。一眨眼更年期都快到了，像你这样，如果一辈子结不成婚，不就什么生活都没得过了？这不科学！她的"科学"让人喷饭，又有悖传统的道德观念，但似乎又蕴涵着极朴素的道理。

常常以此类离经叛道的言论和缎子的女友们打通任督二脉的缎子妈妈，其实是一个非常正统、口碑极好的守寡近二十年的可爱女人。

从某种角度而言，她甚至比缎子更有魅力。这常让缎子不知道该自豪还是该妒忌。

缎子说她的理想，是嫁给一个永远爱她的善良男人，生一个健康的孩子，然后在家洗衣、做饭、发胖，像白痴一样快乐地生活。

可是啊可是，上帝也不能让自己想做白痴就做白痴。她只能盼望着盼望着，像海里的鱼盼望鱼缸，像天上的鸟盼望鸟笼。栏杆拍遍，痴心不改，好歹也算个有理想的青年。

咖啡苦不苦

一纹的一天从喝过咖啡的午后开始。

一纹的开始也是一杯咖啡，继续还是。

一纹是她在外企做白领时的英文名的谐音。她说那意思是不值一两纹银。她当初接受它是因为当鬼佬上司说一纹如何如何时，她觉得说的是和她无关的另一个人，这让她始终得以保持良好的心态、以淑女的形象全身而退。

关于一纹为何离开外企的故事版本有许多，有为情所困一走了之版，有为利所趋义无返顾版，有嫁为人妻衣食无忧版，等等。

一纹说，人若无情可困活着岂不太荒凉，人若见利而逃不掂量不争取那不是仙人就是病人，年方三十好几的高龄终于嫁得米仓衣箱喜极而泣然后住家红袖添香、洗手做羹汤、大鸟扮做小鸟状也该算是一大成就。听她那话里话外的，倒是什么样的戏说她都香肩能扛。

一纹如今是粉领。就是粉粉嫩嫩的在家里上班的女人。这当然不算什么新鲜行状了，就像单身、小资、丁克一样，早已为人们所不以为然。但真的身体力行还是需要勇气。

一纹的工作装是绣花丝绸袍子和绣花丝绸拖鞋，办公用品是手提电脑和咖啡壶。她说咖啡是她的命，电脑是她的衣食父母，丝绸是她的爱情。

一纹喜欢和文字相依为命的感觉。她常常被文字引领着穿行黑夜，文字的光芒让她不再怕黑。而且，夜晚众人皆睡她独工作的姿态，让她很有另类的成就感；当阳光满地打滚时，全国人民都在上班她犹在梦里徜徉的状态，又让她自觉奢华而格外享受。

很多人都对一纹的生存状态羡慕不已，说真酷，恨不得效而仿之。唯有她此生最爱的爸妈不喜欢，说太苦，不如嫁人。一纹说没有什么心动的可以选择时，离自己最近的就是最好的。

电话里的一纹总说忙，问她忙什么，答写碎银子。朋友说她大好年华家中闲置属于资源浪费，她老实地承认从没学过资本运作，只识刀耕火种。于是形象装潢时尚的一纹就像个老农似的，在她的纸做的自留地里快乐地吭哧吭哧忙活着。

每次见她，她的心里都好像开着一朵花，不抱怨也不诉苦，让人很舒服。与她相对，总觉得自己多了或少了点什么。

问她有否想过将来，她说将来是想出来的吗?

想起一位朋友说过，好奇的人死得快，那就和一纹一起慢慢等待吧。

等待痛不欲生，等待铭心刻骨，等待喧哗，等待寂静。

就如等待一杯咖啡的香和苦。

在路上

绡，女，未婚，年方三十余，海拔一米六零差少许。

绡说，单身是偶然，婚姻是必然。绡说她的八字不太好。她说的八字和算命先生说的不同，她说的是指柴、米、油、盐、酱、醋、茶和貌。她说她这个人呢是猛这么一看，不怎么样，但是你如果仔细那么一看呢，咳！说真的，还不如猛一看。所以她就偶然了。

其实，绡并不丑，只是长得离美女的说法远了点。女人中少有的幽默感倒让不是美女的绡格外生动，因此身边朋友云集，只是尚无人和她领执照做亲密爱人。绡自诩单飞的现实如沉睡的黄金，并不急于打折出手。

绡乐意用香水和口红武装自己。

香水是一香香得五里外的牛背上的八哥直打喷嚏的那种，轰炸得专喜闻香识女人的鼻子瞬间失聪，找不到努力的方向。

她说这叫香不惊人死不休。

好在她用的香水都是世界名牌，虽然香气如瀑，终还不至于如瓦斯爆炸般祸国殃民，特别是随风过街时还有清新空气的妙用，深得环卫人士的欢心。

口红呢，她喜欢用黑黑紫紫、面无人色的那种，而且用得很浪费。

倒不是她的嘴唇天生幅员辽阔，而是她自己设计的唇形有点扩面。虽然此款口红被绡应用得非常有创意，在大多数人眼里还是过于突兀，每每路过幼儿园，绡都自觉掩口作婉约状，免得吓到小朋友；每每邂逅腆肚而行的未来妈妈，绡也赶紧闪避，免得影响一脉单传人家开枝散叶，但锦衣夜行时可作防身术之用。

曾有人建议她素面些，免得遭人侧目。她说遭侧目总比被淹没稍具存在价值吧。

千不该万不该，看起来挺实在的绡却有着一颗浪漫的心。不是不可以，而是如此这般，绡的生活就会有意外。虽然意外有时像麻辣，搁到哪道菜里都添彩，但有时意外就是十足的苦头。

绡想象中的婚姻是两个人爱得像搁浅在沙滩上大喘气的鱼，不得不双双跃入婚姻的水里，然后，点灯做伴，吹灯说话，牵衣出门，执手入睡，到永远，像童话。想跳水的感觉几度曾有，但都在濒临入水时定格了。绡说可能是别人跳水前把她仔细地看了看吧。

绡的一位叫云的女友将婚姻概括为八个字，为“日里忙点，夜里挤点”。

绡再三学习后，觉得精辟之余，少了点水份。水灵灵的小白菜一脱水，就成了老霉干菜了。据说真理就长得像老霉干菜，虽不光鲜爽口，却经久耐用。绡说愿将真理供于堂前，而和童话抵足而眠。

曾有一段火烧火燎的网恋摆在绡的面前，绡也几乎动了心。可当高大威猛的网友出现，搜寻的眼光经过她就如航拍飞掠，绡离开了。

事后有人问她为什么，她说，太高了。问者提醒她，大不了以后随身带个小板凳嘛。她说，谁见过腋下夹着珠穆朗玛峰谈恋爱的？就算大象真的爱蚂蚁，怎么爱？

问绡，一个人是否感觉孤独？她说一次去看电影，悲不能抑，泪如雨下。

环顾左右，却见旁人都或磕着瓜子，或喝着可乐，或捏着身边人的小手，笑得骨头篷松的快活小样。突然明白，什么是孤独。它和一个人还是两个人其实没什么关系。

绡想象属于她的感情生活正在路上。她说无论美好或恐怖，都是慢慢来才好。这样才能从容品味。犹如恐高症的人站在秋千上，在飞翔或昏厥之前静静伫立，享受片刻也许永不再来的安宁和幸福。

洗心

春日如水。寂寞如草。

谁的名字可以做刀？刀锋要快过花开，快过天黑，快过惦念。

这是一个人过日子的女人常常自修的一个命题。就如练瑜珈。

就算年方三十而独立的女人真的够胆相信自己正是一席盛宴，到了三十二三岁时，也不能无视镜子里、桌面上身法凌乱的杯杯盏盏。

说不难过是假，谁不知道青春是个好东西呢？说苍凉倒也没到那份，只要动动脑子、挖地三尺或三米，总能找到一个把自己哄得不知天高地厚的理由。

比如，不用提防别的女人是不是惦记着自己家的男人，或者自己家的男人有没有惦记别的女人；不用费心别人的老婆怎么可以一直那么妖那么美，或者自己的老公怎么好意思越来越像自己的弟弟。

虽说很明白身陷上述水深火热的太太只是个案，这些酸葡萄牌妄想也不能影响个人发展的历史进程，但起码可以让心里的不甘打上一个宽慰的小盹儿，让本打算铺排在闹市的嚎啕痛哭改尺寸为一隅饮泣，让臭美依旧抬头挺胸收腹地臭美。

据某先生说，有点慧根的女人是绝佳的红颜知己，但不太适合发展成糟糠之妻，言下之意是有点想法的女人活该单飞在风里，而做成了内人的女人都是脑壳里没有内存的。他一定不会知道为人妻者对他的谬论抱之以怎样不屑一顾的哼哼冷笑。

谁比谁更傻，还真不好说。谁会将一个能把聪明男人嫁为已有并让他对自己不离不弃不设防的女人当作笨婆，那他一定智障。

若真有某太太是低能的，那么娶她的某先生不是更傻就是居心叵测。天底下有傻的女人，那就是视爱情为呼吸，为爱情视一切名利为粪土、视四面楚歌为炼钢铁，为爱情甘愿脖子断了送上腰、腰断了送上脚，却又偏偏遇人不淑的女人。

《水浒传》中有句话，一腔热血要卖与识货的主。若一腔热血先被当作狗血后又被贱卖，她还帮着讨价还价帮着数钱，还悲壮地表白爱是付出是成全是不求承诺，还左等右等生生把丝绸般的好年华等成了粗麻布，她不被当作猪脑壳也会令人神共愤。

幸好这么傻又这么好的极品女人越来越少了，那些唾弃的唾沫和同情的泪水可以节省下来派别的更有意义的用处了。

单身女人最好自备些缺陷，作防身用。

如果女人不巧单身，又不巧成熟而自立，更不巧又不够丑不够冷，那就有点缺乏同情心有点过分了。

再如果她不但不丑不冷，而且居然貌若天仙妩媚迷人，那简直就是丧尽天良罪不可恕。且听某太太语录，鬼才相信她不明白把自己弄成那样会成为一些事业有成、多情有余的有家男人的毒药，会让那些男人背后的女人不自信不快乐。

她根本就是故意的、有预谋的，不然她为什么不早点把自己嫁掉和大家共同黄脸、共同不招人喜欢？

自家男人是有点花，可花的人又不是只有他一个，如果她不出现或把自己搞得恶心一点，不就没事了吗？还说莫非孤独着又美丽着是一种罪？难道还是巨大贡献不成？笑话！真是笑话，不过是不一样的笑罢了。

“爱的人可以不一定要，不爱的人坚决不要。”单身女子汪平如是说。这样山青水绿的话，可以洗心，可以装裱起来，挂满整个春天，让花朵领着芬芳来聆听，让月光提着灯盏来朗读。

单身女人并不是没有爱情，而是她的爱情是单数。

一个人的爱情有点孤单，一个人的爱情永不磨损，一个人的爱情有悲剧的美，一个人的爱情是深藏的翡翠，一个人的爱情是一种主义，适合旁观欣赏，不宜轻言加入。

如同春日里的过客，单身女人只是起身离开了婚姻的花树，也许她只是走开一小会儿，也许会很久。大可不必为她挥霍唏嘘同情，更犯不上向她浪掷侧目，如果她能受用，又怎会有当初？不如尊重。

油菜开花，芥菜抽芯。

春天啊春天啊，还有什么比春天更好的呢？

那些又痛又暖的往事

花的梦想高举过顶，拉近了天空和大地的距离。草的长大经过脚底，像一匹锦缎滑了过去。

花香弯腰，秋天起立，炉火微笑。

天堂，故乡，春天，诗歌……那些美好的居所，总在追忆的那头。而忧伤，是唯一的车船。

那些让我们无力一把抱紧，又舍不得松开手臂的，那些又痛又暖的往事，它们是钻石，深藏在无人能窥视的叫作从前的水底，或是戴满了不会与人相握的手指。

它们让日子璨然，让飘浮的心沉浸，让感动含蓄，让轻狂优雅，让沧桑简单，让虚妄真实。

为情所伤的女友像一条重感冒的鱼，在傍晚游进我五楼的猫眼，她的周围有霜的气息。

她说，遇见的男人，有情的缺少家底；有银子的不是少点真心，就是多了点年纪；那有情又有出息的、宽窄厚薄相当的又总是下手太迟……被人爱太累，爱人又太痛，为什么碰来碰去，都是让人痛不欲生的事？本该为她洒一把同情之泪的我，突然笑出声来。

我说她真时尚，真小资。在全国人民都忙着考虑政策、股票、按揭、薪水等坚硬的现实时，在和她差不多的女人们都为了老公、孩子的头面起居忙得四脚朝天时，她犹有心境和机会为了风花雪月的爱情而伤心和痴狂，这是多么甜蜜奢华的痛苦。

我给她炒了一个青菜、一个萝卜、一个鸡蛋，再加一碗白米饭。她说是难民的菜谱，我说这菜谱的名字叫知足。

虽然鱼翅滋补、燕窝润喉、鲍鱼可令刀叉探戈，可我的青菜萝卜都来自乡下爸妈的菜园，这天地之爱和父母之爱共育的朴素饭菜，饱含着我们的身体和精神不可或缺的维生素。

多少次，已婚或未婚的女友上门倾诉爱情之痛，我常常为自己没有富裕的爱情可以救她们于水火而深感抱歉。

多少次，被爱幸福着的女友在凌晨三点打电话来诉说她们的甜蜜，我义不容辞地陪她们激动失眠。

女人似乎是为爱情而生的，而爱情却总要让女人吃尽种种苦头。是不是只有这样才显得隆重，才会牢牢记住？

爱情最美，亲情最重。寒天里送来丝棉的，可能是爱人，更可能是亲人。我想说的是，冬天不是个适合失恋的季节，冬天是个仇人都该相互取暖的季节。

但是如果不得不，一定要记得，在这个世界上，有许多种爱在等着我们去拥有去挥霍。所谓的唯一的说法，不过是我们在沉迷时给自己下的毒。

然后，我们才能活到很老，才会有子子孙孙可以数落，才有摆谱的本钱，才有机会作沧桑状。

让丝绸和歌剧一样的爱情，奢华我们的生活和艺术。

让青菜和萝卜一样的亲情，坚强我们的身体和心灵。

听说爱情曾来过

美好的爱情像隔窗的雨声。听见的耳朵是最幸福的收集者。

雨点落在身上，是浪漫的；雨声踮脚入耳，是美的。淋雨的人有身临其境的沉醉，听雨的人有情同身受的投入。一身干衣服是淋雨的人最想要的守候，一块干手帕是听雨的人可有可无的慰藉。

每个梅雨季节都以为雨会一直下下去，我们会因见不了天日终于成为菌类。而雨总会适时躺下，将站立的机会交给阳光。

好事坏事都会换脚稍息或回家打盹儿。听说爱情也是如此。

初坠情网时，不知天高地厚，只觉自己的爱情是惊天巨制，而别人的不过是家常小品。旁人的异议和提醒都被算作亵渎，整个过程弥漫着悲壮的意味。

因为太珍视，往往为了沙粒般的瑕疵而玉碎。后来，水晶似的生活被擦拭成了毛玻璃。经的事多了，就懂事了，就觉得别人的爱情才是值得仰望的绚目旗帜，自己的不过是灶台桌案上面目普通的抹布。

虽然不甘，大多因无奈而瓦全。

再后来，就不说爱，而宁愿在别人的爱情里流自己的泪了。一个爱字，多么奇怪，多么丰富，也多么简单。

爱情真的与他人无关，它是自己对自己的不断征服和放弃，它是一个人的梦想和执著，甚至是错觉。只有两个人的错觉同时出现，爱情才有可能圆满。

可总有人像早上赶车，不是起得太早就是睡过了头，错过了一生最想拥有的电光火石般的璀璨瞬间。

手机、网络看似让世界热闹非凡，可人们对它们的依赖，正映照出人心的寂寞。去喧哗奢靡的声色场所看看，有多少人在理直气壮地零售情爱，又有多少人以应酬的名义或孤独的借口半晌偷欢。在美丽腰身和货币的斡旋中，许多人视为珍宝紧握的不过是情感的荒凉和虚幻。

但是，总有人无论是清贫还是富有，也无论是身在都市还是乡村，始终对爱情满怀憧憬。即便独自风雪夜行，内心也明媚丰盛，如春日花开。

到如今，好几十岁了，再说为情而生，恐有弱智之嫌，但是，我喜欢。

喜欢一颗被岁月彩绘的心，入水后，仍可还原出本来的洁白。

虽然，这很难。

活着，得爱着。就算这爱小得仅如一根稻草，无关饱暖，也不能救人于水火，但是，握在手中，终是个念想。对于无助的人来说，手中紧攥的一根稻草可以让心无所畏惧。

或者，想象爱，欣赏爱。如果不能在雨中酣畅地奔跑，就在屋内听雨。微笑，闭眼，伸出手，宛如接住一片雨声。

人的一辈子，好像二胡演奏的民乐，无论多么欢乐的主题，终是无法掩饰那弦上与生俱来的苍凉和忧伤。好在有宗教说，世间万事万物都是如此。

不妨在无边的春阳里，歇一歇，看春花，看该来的，络绎行来。

灯灰

火让芯子成灰 / 光让黑暗成灰 // 一个人对一个人的惦记 / 让所有的亮和不亮都成灯灰 // 我是灯灰的灯灰 / 却不能说出是为了谁

观，世间的温暖

照亮

写一朵烟花给你／画一盏灯笼给你／／慢慢写／细细画／一辈子／／

看天上／走地上／从此你都会有亮……

一片屋顶

一片屋顶，黑瓦。

像一个个文字，团结在天地间写下的一封家书，朴实，有老酒烫热的暖。

像用瓦片编织的长卷，只能陈列，不能收获。端庄厚重如典藉，又好像轻绵的炊烟就可以将它们飘浮起来。

没有灯火，也没有红绿的衣裳晾在窗台，一色的灰黑，站满了视野，一样的人字形檐角，承载着俯视的重量和仰望的高度。

看似寂寞的屋檐下，仍是萦回着天伦之乐，每一片旧瓦下都有青葱的成长，每一个屋顶下都有洗衣、做饭的忙碌，每一个日子都有无数的发生和继续——这样的每一瞬间，平常如鹅卵石，却绵延出了一条再大的风雨都无法搬走的小径。

在许多都市和人都恨不得脚穿火箭地投奔现代文明的今天，能保留这么一片纯粹的黑瓦屋顶是件多么不容易的事，也许并不是有人刻意而为，而是得益于贫穷或偏僻，这片层顶才能历尽岁月的沧桑，犹能庇护屋顶下的人们舒缓地日出而作、日落而息。

如果俯瞰摩登大楼的都市，感觉是逼人的繁华；而环视黑瓦的屋顶的小城，有的只是扑面的亲近。

水墨画一般的恬淡、朴拙，让人不知不觉地放慢了奔忙的脚步，如涓涓细流聚集在澄碧的潭底，静静地体味有限生命里每一分每一秒降临的欣喜和不舍的离去。

在屋顶和屋顶之间，看不见哪家的前门后院，也看不见可容阳光散步的天井，却可以让人无限想象那屋顶下有雕花的木窗，把阳光雕成或方或圆的光线，有石砌的花架，举着盛开的茶花，还有古老的戏台，不时地咿咿呀呀唱着大戏。

那屋顶下，所有的人都熟得成了亲人。

在那么多的小小屋顶之上，天空是一个更大的屋顶，谁都不能将它打开或偷去。它主宰着白天和黑夜，它是无所不知的智者，它是微笑。

唯有生命，可以将我们眼睛的大门关起，让屋顶遁入漆黑一片，让一切都戛然而止。

一个人的生命脆弱如屋顶的一片旧瓦，在一片大屋顶中，它的消失算不了什么，但对正好在那瓦片下的那家人来说，它是唯一——它不在了，天就漏了。

平平安安地活着，哪怕只是看看别人的屋顶，也算是爱着。

花开的清晨

在离我们村五里地的山里头，曾有一古寺。

古寺不太大，但香火盛极一时。在非常年代，大部分僧人都被强行还俗返乡，只剩了一个老头。留下他实在是因为他已老了，不可能再成家也无家可归，总得给他个地方住吧。况且他住在山里，可以充当看山守林人。

寺附近只住着一个老太太，十几岁时到这儿做童养媳，受尽苦难，老来落得孑然一身，身世极令人鼻酸。

老头是纯粹的皈依者，虽被勒令还俗，仍谨守佛门五戒。

老太太是虔诚的佛教徒，人在家门，却长年食素，一心修持。

寺门和家门相距百米，中间有两块菜地隔篱而居。菜地的左边有一泉水汇聚的半亩池塘，池塘边躺着一块淘米洗菜时立足的青石板。水边有一株很大的三月兰，花开时极美。

两个老人守着这山坳，守着各自门内的世界。提水浇园、缝衣纳被，他们相互照应，平静、自然，没有什么特别。

这山里头少有人来，也没拉上电线。除了太阳、月亮和星星，照亮他们日子的，唯有那株三月兰。那玉白色的小小花盏，像满斟着光亮和时间，无论白天黑夜，始终不绝如缕地散发着看得见的清香，朵朵犹如风吹不灭的银烛。

两个老人都很喜欢这三月兰。

花开的每个清晨，他们都起得很早，不约而同地提着木桶到池里汲水，又不谋而合地都在树下站一会儿，看看这一夜花又开了多少，或落了几瓣。花下的两个老人似乎重回了贪玩嬉戏的年少。

一个又一个三月，就这样在花下停留，走过。

后来，老太太先走了。老头和村里人把她埋在了向阳的坡上，正对着她的老屋和她生活过的地方。水依然清，菜依然绿，草木愈来愈葱茏，这山里却如老头的玄色布衫，日显空旷。

当花开、花飞的早上，老头每天都要把一夜的落花捡起来，铺到老太太的老屋上。远远路过的人都看见，看见山坡上一顶花冠，惊心的白。

那原来只为两个人而开的花，渐渐在传言里不胫而走，好看了很多人家的墙院，而且再没有凋谢。

晚来的人，如我，只是听说，也再没有能从幻美的花影里走出来。尽管，那古寺的痕迹早已被荒草藏得再找不见。

午后的欢喜

那一天陪奶奶做香囊。奶奶用一块墨绿色的金丝绒做一个青椒香囊时，突然笑出声来，直笑得沉香粉全洒在了地上、针扎了手犹是止不住。

素来端庄娴雅的奶奶可很少这么放松的。

我好奇地一再追问，奶奶才边笑边说："我想起二十几岁那年，你爷爷从上海回来，带回两副墨镜。说是最流行的西洋眼镜，大太阳下戴着人就不觉着热，还养眼，就自己买了一副，又给我买了一副……"

奶奶喝了口茶，平了平气又接着说："那时我们这儿牛都和人一道在街上走，哪里见过这稀罕东西？我想来想去没机会也不好意思在人前显奇，就拉了你爷爷去照相馆，两个人一本正经地戴上墨镜，在灯光下拍了一张自以为很时髦的合影。现在想想真好笑。刚才看到这块金丝绒，我突然想起了这件事，想起了那天我就穿了这样一件墨绿金丝绒的旗袍……"

真没想到非素色不穿、非"百雀灵"不搽的奶奶，当年还这么前卫过。不过奶奶的墨镜最终也就在照片上戴了一次，不像现在，一到夏天，满太阳地里都是鼻梁上镇守着太阳镜的人。

虽然现在流行的太阳镜的款式几乎是奶奶当年戴的那种小圆镜片的翻版，但这其中的花样经可是多多了。不说镜片和镜架的材质，就说颜色吧，已很少看见那种深黑色和深茶色了，而是粉红色、玳瑁色、银粉色、金黄色、紫色、蓝色……各种让人心跳的水果色活色生香地在各种坡度的脸上泰然自若。

太阳镜的功用已不是严格意义上的遮挡阳光，而是成了一件和手镯、项链一样的夏日饰品，由它创造一种美的距离、一道心情的屏风、一个和阳光讲和的姿态。

站在眼镜柜前，一副一副地品味着全新的风格和造型，不得不由衷地感叹，我们的确是比奶奶那辈有福。

小至一副镜，大到职业、情感、生活方式的选择，我们比她们多了太多的自由和权利。虽然仅仅相隔了五十年，不过是一个妙龄女子成了一个有着和当年自己那么大的孙女的奶奶。

那一天我和奶奶谈了许多，关于太阳镜，关于岁月。有些想法，有些东西，隔多少年了，还是一样的简单。是不是因为简单才不会老去，才经得起尘事的变迁?

平安夜

平安夜，去教堂。

我已去晚，虔诚的教徒们正走出上帝的家门。

教堂从不“打烊”。

走进教堂，迎面一个顶天立地的大十字架，和四个大字“以玛内利”（希伯来语，意思是“神与我们同在”）。没有耶稣的塑像，却分明让人感觉一种深远的注视，一种了然于心的洞察，让人再不妄生调侃、不敬之念。

只有三四人在扫地——或者该说是扫信徒们修身褪落的“不善”。

风琴声、歌声，安详、平和，没有喧哗。

在绿色空气般的赞美诗里，我很想把手搁在《圣经》上，扪心自问一些平日不肯面对的问题。

不能不想起我那笃信基督教的外婆。老去多年，今夜，她会在哪儿聆听钟声？

外婆在世时，常常对我说起教堂的事：说信教的姐妹们如何“向善”，说主耶稣如何无所不知无所不在。

几次答应外婆，要陪她去一次教堂，但终是没能兑现。不知道外婆有没有失望过，但我知道，深深知道，如果我能陪她去教堂做礼拜，哪怕是一次，她会有多高兴，在“姐妹”面前有多自豪，多美气——因为她有一个会写诗、不信教却肯陪她进教堂的外孙女。

虽然她不懂写诗是怎么回事，但她明白这样的外孙女不会太多，恐怕全教堂的人中也只有她有。

这么小小的心愿，都被我以所谓的忙而一拖再拖，直至再无机会了却。外婆，这是我终生的悔。

外婆临去前，人很清醒，她对爸、妈说：“你们都去信基督教吧，信了教的人死后都能上天堂。你们如果信了，我还能在那边等到你们，我们还是一家人。你们如果不能来，天堂再好，我一个人也没意思……”

其实外婆深知我家笃信佛教，绝无改信基督教的可能，她说那话亦是忍了又忍。到生命的最后，她意识到再不说将永无机会，才抱着万分之一的侥幸说了出来。

外婆的无奈、外婆的寂寞、外婆的不舍，尽在言中。

一直以来“外婆”的话题是个禁区。我不敢提，怕自己在人前失控。

我常常在一个人独守一屋的时候狂想外婆，想她做的油饼最好吃，想天冷了她冷不冷，想她做针线时，线穿不进针眼，谁会去帮她，想天旱了她到哪里挑水吃……

除了在外婆病中，我写过一首长诗外，再没写过一行悼念外婆的文字。

长歌当哭，在我却是长哭当歌。我心中的泪，从未止过。

因为外婆的离世，我才身知生命的脆弱，对死我再无恐惧，常想着若真死了，也未尝不是乐事，起码可在外婆膝下承欢，慰她孤寂；因为外婆的离去，我不再喜欢过年，因为每次去没有外婆的外婆家拜年，都有让我撑不住的空空的钝痛。

当然，可以去外婆的坟前看看，和她说说话，可是外婆再不会冲一杯热呼呼的糖茶出来，这不是一般的缺憾。

在主的福音里，我感觉外婆宽慰的笑，想她定是看到了我终于进了教堂，终于到了离她最近的地方。

在主的福音里，我坚信，只要我们相爱相念，没有什么能把我们阻隔。

纵然信仰不同，纵然生死相离，纵然天涯海角，我们永远都在一起，在同一口呼吸里。

圣歌绵延不绝，如通往天庭的长廊，檐下的心跳是一条向爱流淌的河。今夜钟声嘹亮，天上人间，共一片平安。

幸福的路边

在幸福路的路边，住下了一对弹棉花的夫妇。家当是一个小孩，一个编织布帐篷和一架弹棉花的车。

白天，约两平方米的帐篷里堆满了待弹的棉絮；夜晚，帐篷就是他们的厨房、卧房、卫生间。

再旧的棉絮，经他们的手，都是柔软膨松，如云般白而轻暖。而他们的脸总是黄黑而干瘦，满身沾满棉绒，眼睫毛上棉丝如霜。

那小孩还在吃奶。那女人忙一会儿，便靠着棉堆，敞开怀奶孩子。那小小的脑袋，便如同埋进棉花堆里，只是那棉花没有城里的白。

那小孩吃饱后酣睡的满足，并不比城里吃进口奶粉的孩子少些。

每天很多人路过他们身边上下班，大多穿着入时，骑着自行车，也有坐着上百万的高级轿车。

弹棉花的一家，毫不动容，如住无人之境，一心一意对付着他们的棉花。那份细致、小心和投入，仿佛那是金丝玉缕。

女的常蹲着，给棉胎绷一张固定棉胎的网。绷线的小竹片围着棉絮就像小小的篱笆，绷线的人就如忙活着一块小小的菜园，远远看着，常让我心生幻念——说不定哪天下班就可看见，那竹篱笆内长出温暖的青菜和西红柿来。

那男的踩着弹棉花的车子，仿佛坐着他的私人豪华轿车目不斜视地轻踏“油门”，只见轮转处，棉花在和暖的阳光下飞扬如雪。他的脸上，满漾自得和劳动的快乐。

帐篷的两边是高楼。每天都有人从楼里拿来棉絮，每天都有人抱了棉絮回家。不知他们在暖暖的被窝，有没有偶尔想到，那弹棉花的一家，是做着怎样的梦。

天越来越冷了。如果老天爷哪天来了兴致，也弹起他的老棉花，他们怎么办？他们的棉絮虽暖，在这露天，终难抵飞雪片片。

真忍不住替他们着急，想替他们向老天爷讨个公道，同是弹棉人，相煎何太急？

谁都怕这冬天的冷，都把棉絮拿去弹弹吧。

盖新被的人暖了，弹棉花的人也就暖了。

大家暖了，这冬天，这住着冬天的家园，也就暖了。

手心里的象牙白

有一把家传的象牙梳子。

象牙梳子放在手心，我才懂得了什么是象牙白。极美。

问奶奶，这梳子为什么这般大，拿着手重，还老觉着头发不够它梳，觉得自己配不上它似的。

“这梳子原本有大小七把共一套，这把是最大的，最小的只有两指宽一指长，藏在手心都看不见。这些梳子在盘头发时各有用处。你曾祖母当年长得一头浓密的齐腰长发，这套梳子是你曾祖父送给她的。每天早上，你曾祖母穿着玫红的衫裤，坐在梳妆台前，梳子一溜儿排开，就着从上海买来的发油，把头发盘得像朵花似的。你曾祖父常常忍不住放下了正诵读的圣贤书，赞叹你曾祖母手巧，你曾祖母却偏说是因为那象牙梳好。”

“那还有六把梳子呢？”

“后来你曾祖父去世了，你曾祖母把另外的六把梳子和一条大辫子一并给他带去了，只留了这一把最大的。她常常在梳头时攥着它发愣，也不知想什么。倒是没见她哭过，只是从那以后，她眼中再没了亮亮的神采。那年，她才 35 岁。”

我仿佛看见了曾祖母在曾祖父逝世后，在镜前手执象牙梳子一动不动地坐着，满屋寂静。

也许她一直期望着那熟悉的低唤在耳边重新响起。这由一把象牙梳见证了的家常爱情，如一盒胭脂，在苍白的岁月里，留下了一抹供我们追忆的颜色。

如今，象牙梳放在我书桌右手边的抽屉里。

我一直遗憾自己没有一头乌黑丰盈的齐腰长发配它，不知道它遗不遗憾。我常常让它在阳光下经过我的头发，一遍遍穿越几代女人的青丝岁月。

总觉得，象牙梳在等着什么，我也在等着什么。但我们都不知道，那等的什么时候会来。

照亮

穷得连垃圾都没有，当然不是件幸事，但也远远没有到生不如死、毫无快乐的地步。

活着，总比死了要富足一些，因为有机会。死了，是真的万籁俱寂。

一个靠做房地产发达的巨富，当他驾着大奔在大街上游弋，他的眼里没有别人，他觉得存在的一切都是为他准备的齿轮，他是主宰——无疑，那时他是快乐的。

后来有一天，他做期货一败涂地，身心交瘁地最后一次走出公司的大门。在拐弯处，他第一次留意到一个修自行车的小摊。这小摊看样子摆了很久了，修车的小伙子忙得像一只快乐的陀螺。

他油然而生羡慕，他感到小伙子那种实在、小而跳跃、像波尔卡舞曲样的快乐，他已很久没有过了。

他在小铺子前站了很久，走的时候他也快乐起来，觉着再大的失败都不算最坏。

还有一个踏三轮车的小伙子，早早晚晚都看到他候在路口，灰扑扑的脸上少有笑容。

可有一个雨天，我坐上车后，他突然顾自笑出了声，又笑着告诉我："我儿子会叫爸爸了，就在吃晚饭的时候……"说着把车蹬得差点飞起来。

从生命开始，快乐的权利一直跟随，无论我们是怎样地为生活烦扰着，为情感困惑着，都无法拒绝快乐像一颗流星突然一瞬间对你的照亮——在那一刻，我们是自己的君王。

拥有

冬天晚上，很冷。

有个男人背着一个小孩从楼下经过，那孩子的笑声像铃铛一般叮叮当当地敲打我四楼的窗。那男人显然是孩子的父亲，他又跑又跳，气喘吁吁的，嘴里却不停地和孩子笑闹着，说的似乎是个关于明天下不下雪的话题。

那男人和孩子似乎一般大、一般童心，他们在这路上洒了一地滚珠般的快乐，却是因为一个一点都不好笑的下不下雪的问题。

我想这路旁的楼里，一定有很多人分享了那对父子的快乐，因为我看见有很多灯亮着，有很多窗不设防地开着。

明天下不下雪并不重要，重要的是那对父子的快乐是真实的，如同长在枝头的果子，触手可及。无论下不下雪，他们的果子都会一样的红润。

他们快乐或者可以说是幸福不是因为那雪，而是因为他们彼此拥有。

拥有是一个天堂。

突然地，我很想拥有一个娃娃，一个会笑得叮叮当当的娃娃，我要给她取个小名叫“叮当”，我要和他（她）一起等待下雪，等待生命里的每一场雪。

尊重

那个衣衫齐整的村妇为什么在街上嚎啕大哭？

当时她踏着半三轮车的瓜，行在市中心。她顾自鼻涕眼泪着声色俱厉，丝毫不顾及满街人诧异的注目礼，看上去她真的很伤心。

是瓜卖不出去？可这时天未过午，还不到灰心的时辰。是有人欺侮了她？车上的瓜分明个个青白囫囵，雪亮的剖瓜刀该是她壮胆的绝好后盾。是家里出了不幸的事？她骑车的速度平缓，不像是要急着赶回家去料理。

很多人远远望着她，脸上是浓得快要流下来的好奇和同情。

我却莫名地对她心生敬意，就为了她敢于在闹市纵情大哭，哭得这么回肠荡气、理直气壮，还有神情中拒绝同情的决绝。

伤心的事、伤心的人哪里没有，有几个敢如她一般毫不掩饰地在闹市哭得如入无人之境？我羡慕她的坦荡、恣意，羡慕她哭得大气。

隔着十几步路，我跟着她走了很久。前面有个陡坡。我无法让她不哭，但起码可以帮她把车和车上沉重的东西推过坡去。

这是我唯一能对她表达的尊重。

聆听阳光的心情

即便是一个瓜，也有权利在阳光和露水里亮出自己青青白白的瓜纹，无论瓜有没有思想。

瓜一样的生命，同样需要光的照亮，和一根坚韧的藤的牵引。

这样的领悟似苍绿的苔痕，适当的空气润泽就可以让它在阶旁走得很远。但要将它落实到生活的实处，却并不容易随时葱茏。

他是个老师，有一妻四子，小日子过得曾经祥和温馨。开始是妻子为一点小事想不开，疯了；接着是大儿子因失恋，精神失常；二儿子因无人敢入嫁，遂去做了上门女婿，结果没到半年，因与岳家发生口角，回到家灌了一瓶农药，死了……

接连遭受打击的老教师要退休了，考虑再三，打算让有轻微间歇性忧郁症的三儿子“顶职”到学校做校工。看着挺正常的四儿子听了不乐意，懊恼了两天，精神分裂了。

一家六口，一死四失常，只剩了他这奔六十岁的老头，孤单单地清醒着。

这不幸的重钟没一下不落在实实在在的疼处，连最会劝慰的人都再开不了口。可那又怎么样？他依然活着，尽可能镇静地接受、消化这一连串的苦难。他甚至在天气好的早上，手手相牵地带着他疯了的一家子散步。边走边和木然的亲人说话，有时说得眉飞色舞，说得听者散乱的眼神里有了一闪的光亮，有时候只说得自己老泪纵横。

上街闲逛的人从他家门口走过，经常可以看到这么一幕——他满头大汗、衣衫零乱地在搓洗一大盆衣物，面容憔悴，却并无愁苦的表情。他的家人们一人一只小板凳，干净整洁地排排坐着，看天——好像在聆听阳光。

一只断了的玉镯，被深爱它的人用一段金属连接起来。脆弱的断镯因这柔而刚的包裹、依托，依然为环，照旧在腕间生辉。

在这个依然完整存在的家庭里，他就是那段坚强的金属。

“因为我爱他们，只要能守着他们，只要他们活着，我就不觉得苦。”爱的力气真大，什么样的苦难都能背着走。一个风雨中飘摇的家因他的不肯放弃，因他那相对命运来说也许只合一枚小钉子大小的爱，而终于在生命里牢牢地钉住。

风中的扣子

起风的傍晚。

风把人几乎吹成了裸体。街上的美女都不再摇曳生姿，高跟鞋叩打街面的声音细碎而凌乱。

下班的人们，一个个仓促地与风竞走，都想赶在天黑之前回到家里，把风关在门外。

前面的一辆自行车后座上，坐着个大约四五岁的女孩。

我之所以注意到她，是因为她坐的姿势很古怪——她的双手幅度过大地伸到显然是妈妈的身前，以至于她的脸涨得红红的，像只小章鱼似的攀在骑车人的背上。

我猛蹬两下，自行车超过了前面的母女，才看明白小姑娘的苦心。那位骑车的妈妈的衣服上掉了一个扣子。这在平常算不了什么，但在这起风的傍晚，风吹开了她的衣襟，本来就穿得单薄的她几乎成了一片瑟瑟发抖的树叶。

她那小小的女儿，懂事地任凭妈妈拍她的手说“自己坐好，妈妈不冷”，自己却依旧死死地帮妈妈拢紧衣服，以手为扣，替妈妈分担风中的冷。

她的脸上是努力、坚毅的表情，她的一本正经，分明把这个小动作当成了一件义不容辞、很重大的事。当有人有意无意地打量她的妈妈时，小姑娘一律以怒视还以颜色。她眼里稚嫩的愤怒和戒备并不锐利，但叫人心生怜惜，包括对她毫不知情的妈妈。

俗话说“女儿是妈妈的小棉袄”，果然！那么小小的一个女儿，已会心疼妈妈的冷，也知道维护妈妈的自尊。有这么一双手环扣在腰间，做妈妈的永不会放弃去万手攒动的生活中争取面包的努力。

有多少这样的小手，让怯懦易折的女子自炼成不屈不挠的伟大母亲？有多少这样的扣子，正妥贴地在妈妈的胸口扣紧，和妈妈穿梭在大路小路上，和妈妈一起抵挡生命里的虚无和实实在在的冷？

一双小手，一粒扣子，并不是生活下去的绝对理由，但一天天的日子和一个个生命的继续，却因它的存在而宽慰，而倍添欣喜。

遇着浪漫

浪漫这东西，是好东西，这谁都知道。但有时也未必如想象中那么讨彩。

某君在母亲节时兴冲冲地给老感叹从没浪漫过的妈妈大人送去鲜花一把，卡片上只写了“永远爱你”四个字。

一辈子没被人送过花的妈妈开始像受了惊吓的小偷似的坚拒花店送花员进门，理由是那人肯定弄错了。她说，我都这么大岁数了，清清白白了大半辈子，你可不能这么毁我名誉。

当送花员不得已拨通某君电话让她验明正身后，她才惊魂初定。满以为可以得到妈妈赞许的儿子，听到的却是“花钱买这没用的东西，买猪蹄髈多好啊，好大一个蹄髈没了呢”的抱怨。那只没了的蹄髈后来被妈妈挂在嘴上肉痛了大半年。

某君由此感悟女人的浪漫是要和实用相结合的。

转眼某君的太太生日，吃一堑长了一智的某君花大钱给经常嫌厨房油烟大的老婆买了一口进口无烟炒菜锅。提锅回家时，某君已作好了接受老婆大动静缠绵的心理准备，不自觉地在唇间操起了小曲；又想到老婆一高兴晚间可能意外安排的余兴节目，脚下那个轻快心里那个癫狂啊！

结果呢？

某君果然被意外了——他沐浴着太太炒锅一般的脸色在小房间独卧思过整整一个礼拜。最后以他用买一口锅的钱也就是相当于买一头猪的钱给老婆重买了一套穿起来像没穿的内衣，才重获回归主卧的权利。

有心浪漫的某君从此给女人送礼只送赤裸裸的人民币了。

很多时候，浪漫的感觉源于女人的误会。女人以为是伟大爱情，男人其实只是找个乐子逗你玩罢了；当女人满怀柔情地憧憬着如何与梦中情人厮守终生时，男人说不定正盘算着怎样尽快脚底抹油地开溜呢。

当然这也不能全怪男人薄情，男人吃女人苦头的事也不鲜见，猫营营狗营营的，也算一种男女平等吧。

爱的悲剧或喜剧，都是两个人自愿合作而成。花拳来绣腿去的，愿打愿挨，不喊冤，权当学个下次懂得以真诚对真诚、欺骗对欺骗，针不磨不尖，面不揉不韧嘛。再说，这世间若是没了男女间的这些个太极恩怨，上苍俯视咱们时该多无趣，一定会笑话咱们日子的寡淡。连隔壁家的老是邀请金鱼到它肚子里旅游的花猫都知道，幽默感也是浪漫，朋友和猎物都会喜欢。

太多浪漫更适合度假，浪漫太少又不宜居家。怎么才算刚刚好呢？这很像探测一个人的酒量，不一起醉过，很难知道他的海拔。实践永远先行于真理。

浪漫虽然物质不变，但形式却时时会变，如同女人的身材。浪漫有时和经济能力有关，有时和性情有关。

大多时候，它没有道理好讲，就像神经质一样，别具慧眼的人说是天才的表现，医生却说是得病的症状。算仙药算狗食，就看它落到谁的手里了。

谁说的？真要遇着浪漫，不妨一边窃喜着一边警惕着，才有意思。

女儿是父亲掌上的花

显然，那是一个爸爸送女儿去上学。远远看着，小女孩像是黯淡树枝上的一朵花开。

小女孩的头上弯着两只羊角辫，红毛衣、绿灯芯绒的裤子，翠崩崩的。她站在自行车的后座上，双手时而叉起小肥腰；时而揽紧爸爸的瘦脖颈；时而又双手平举、脸向天，扮小鸟飞。与此同时，她还不停地和她爸爸笑说着什么，乐得咯咯的。

那做爸爸的，一手握着车把，一手向后圈住小女孩的腿。他的穿着和容貌都很一般；他的自行车是停在哪儿都不用上锁的那种，但他骑车过街的派头，不比任何一个驾名贵轿车的人逊色。那来之后座的欢呼，让他明亮。

妹妹的相册

妹妹的相册里有两张相片。

一张黑白的，是爸爸举着她摘门前的李子花。那时妹妹四岁，一溜三间的草房前，四树李花开得比房子还高。相片上的父女笑得那么富足，丝毫没有清贫生活的影子。那被相片忍住了的笑声，隔多少年了还能听见。

另一张是彩色的，小小妹妹已是身着嫁衣的新娘，父亲也有了白发。从李花树下到婚宴，时光走了二十年，不变的是女儿脸上的开怀和父亲眼里的呵护。

谁都看得出来，虽是并肩相拥，女儿依然是高举在父亲心爱的掌上。

还有什么比创造一个人和承担对他永远的在意更重要？一个平安长大的生命，是我们看得见的继续和永远，是可以亲手完善的希望。

一个父亲，无论遭逢什么，都不会轻言放弃或退让。

这是个春天的早上，晨光就像一个叫馨馨或菲菲的小孩，穿着粉红、粉绿的袜子，轻跑过林间、草场。

晒书

每每想着就开心得醉的事，莫过于在某个好太阳的日子，在燕儿筑巢、青藤掩映的庭院里，布衣布鞋、素面素心地晒书。

在古时候，晒书和踏雪寻梅、松下对弈、焚香抚琴、煮雪烹茶一样，是属于文人雅事。

奶奶曾对我说，当年曾祖父在山西做官，所得的官饷大多买了古画古书。每当他买着一件古物，就大宴对古物有研究的宾朋，请大家一起把酒品评、鉴定。

若公认是真品，便纳之红木书房宠妾一般日日厮守；若为赝品，则当堂弃之若敝帚。

到曾祖父告老还乡，他整天躲在书房诵书作诗，一日三餐都是送入书房。唯一能让曾祖父移步室外的事就是晒书。

他总是像对婴儿似的小小心心地，把那些线装书和泛潮的字画，摊晒在庭院里一字排开的一溜匾里。春日暖阳下，一着灰色长衫的清朗老人手执一拂尘，像怕碰疼了那些书、画似的，在书面画幅上轻轻一按再轻轻提起，便有极细小的尘埃在四月的春风里飞扬起来。

我仿佛看见他齐胸的银须在书间的阳光里灿若玫瑰——这样的印象一

直开放在我的想象里，且让我心动不已。

曾祖父作古后，晒书的事就落在了曾祖母身上。

土改时，小有薄产的曾祖父自然被“改”了。值钱的古董都渐渐散失，剩下一堆旧书旧画在阁楼上待命。我那小脚又不识很多字的曾祖母在动荡不安的日子里，仍不忘晒书。

村里人便常看见一身黑布衣梳着齐整盘髻的曾祖母在院里忙活，手里拿着那把专用的拂尘。她自幼就戴在手上再也取不下来的那只翡翠镯子，在她苍白的腕上泛出幽深的绿。据说曾祖母当时脸上非常平静，没有悲绪亦无笑意，但我想她晒书的心情和曾祖父晒书的心情恐怕是大不一样了。

祖上的书、画后来得令要全数捐给县上，并且得送进城去。县城离祖宅有二三十里地，家中只有十七八岁的姑婆算是壮劳力，而她每天也只吃得消用手推车往城里送一次书。于是那满屋的珍本善本，只好统统推入灶间当柴禾。

三天后，剩下一些实在让人下不了手的书画装了满满一车，由姑婆跌跌撞撞地送去县城，从此那间上了锁的空空的书房，曾祖母再没打开过。

再后来说是县城里涨大水，那些不曾留书目、不曾出收据的文物性质的书画就此不见了。到“文革”时，同样嗜书的父亲已没什么书可读，更说不上晒书了。

到我这辈，虽无书产可继承，爱书的脾气倒是一脉相承。幸好书市上的书已应有尽有，只要有钱有心情，随时可坐拥书香。

面对一天天增多的书，想象着哪天把书和家谱族史一起搬到院子里，让太阳再来读。拥傍这份晒和被晒的感动，值得我一生领悟。

美

枕头睡了 / 梦醒着 // 门睡了 / 窗醒着 // 爱睡了 / 寂寞醒着 // 蜜糖睡了 / 盐醒着 // 你睡了 / 我醒着 // 这么悲剧着 / 这么美着

第三辑　小村的故事

小村门大、窗大，再多的快乐，也可以涌进来；小村云清、天亮，再多的不如意，也可以挥散出……

小村的风景，寂静如画；小村的生活，恬淡安然。

寂静戏台

在古老的大宅内，在黢黑的有雕梁画栋的戏台上，青衣花旦正在想象的后花园扑蝶。那乍现的春愁闺怨，如春水，在起落的水袖间，洇入台下微凉的青石地面。

那平常生活中永无机会上身的盛艳的行头，那美得蚀人、被彩妆隆重推出的眉眼，那被脂粉藏起的今生，鬼魅一般，不似人间地勾人魂。

而台下的看客，个个引颈竖耳，脸上如同着了重彩的艳羡，分明把台上的角儿认作了下凡的天仙。

那由看客和角儿合谋的浓缩的一生，在戏里有板有眼地渐入佳境。将相布衣，爱恨情仇，因果报应，一出戏罢，入戏的人要沉湎许久，才悠悠醒转，如轮回重生。收尽泪眼的看客，也许从此对身边人身边事多了份珍惜和知足。

其实大多戏迷都熟谙唱本，有的连唱、念、做、打都可如数家珍地一一道来，但这并不妨碍他们一遍遍地入戏，一次次地替古人揪心。对他们来说，这台上的一招一式都是心头痒、骨子里的瘾。只要一听见那紧锣疏弦起声，身边诸般不快都倏地遁出丈外，心里的褶子一一舒展。

从没想过戏台也会给人难以消受的寂寥，直到置身那座已被收为文物的百年前的私人大宅。宅内有个大戏台，据说是富甲一方的私宅主人为爱看戏的母亲建的。那戏台至今看着仍是金碧辉煌、气派非凡，但台上已数十年不闻丝竹声，台下那本该是富豪的子孙们就坐的地方，只是一团空荡荡的空气，青石板的拼缝里长着几棵小草和郁郁的青苔。“人活一世真的如戏”的感慨，在这戏台前说着真是苍凉入骨。

谁曾想，这戏台才是最后的真正看客，它看人的生息，才真的是一本大戏里小小的一折。

对着空空的戏台，想象着它有过的繁华种种。太阳很慢很慢地总算照着了院墙边一株开着花的玉藕树，软软的花香走散开来。一个下午的过去钝如抽丝，几十年的沧桑却可以快如刀锋。

一只家雀飞来，落在台上，叫了几声。

不知它唱的是哪出。

看，最美的风景

亮

那个提灯的盲人/满世界去找//却不知道/他要的亮/一直在自己手中

西窗

我们乡下，门大、窗大、太阳大。

我的房间有一个很大的西窗，窗外的天地就是我的后花园，园里常住满庄稼，庄稼的尽处是夕阳。

每天都有新鲜的阳光从窗口进来，满屋子都有阳光的馨香。每天都有远来的风来拜访，风会捎来我的眼睛不能翻越的山的那边的消息，有时还会带来一只迷路的蜻蜓或一枚好看的远山上的叶子。

蜻蜓有翅膀，纵然小，也能走很远的路。那叶子，不知经过了多少次的颠扑才来到了我的窗前。我让它在掌中睡，似乎感觉到绯红的叶脉里，有一样的呼吸和梦呓，或许还有一样戒烟如你的爱情。

夏日的西窗，因承受太阳西晒之宠会有些热。好在那时我的窗周围和外墙上正好青藤葱郁，且窗外还有一棵山楂树做了半遮面的琵琶，所以屋内犹是凉爽宜人。夜半凉时，青藤上萤光闪亮，有一两个还飞到蚊帐顶上，一闪一闪。所有的梦便因这小小的灯笼，走得亮堂而安详。

最喜欢在黄昏时窗边小坐。挨着窗外草木蓬勃的生机和阳光，让晚霞变幻着脸色读我；任霞光在我发上金黄地游弋，看夕阳下的丛林、归鸟、房舍和炊烟，是怎样融入了那夜；还有那夜雾，是怎样轻柔地迷蒙了我的双眼。

那辉煌而又脆薄的黄昏呵，在一个木质的窗框内静静睡去，又悄悄醒来。

西窗常开，人却不能常坐在窗边看书、结辫。说出门就出门了，说回来就回来了，而那窗外，总是我一生爱不完的蓝天绿野，不多一片云彩。

百纳

那时候，常见村里女子雨天补衣。那些补了又补、纳了又纳的旧衣，常让我忍不住地想知道，到底哪一块布是躯体最初的故乡？哪一种颜色是它最初的容颜？

每次我问，补衣的人总会告诉我它原来的模样。而我怎么也想象不出，怎么也不相信一种蓝布衣竟会变成一件百衲花衣。

别说正面，就是把衣服反过来，也找不到一寸完整的、像样的原版。

现在相信了，何止是一件布衣可成百衲，人心亦如此。

世事沧桑，心如薄绢。总有破时，总得补。破破补补，到成熟，拿那心境到亮处。照，哪里还有多少底色？

层层叠叠，从青丝叠到白发。哪儿受伤，哪儿该补，只有自己知道。千疮百孔，补不胜补。心境的褴褛，没有人知道每一个补丁是为了什么、缝于何年何月。

外人看见的只是成熟的外表、练达的处事，补丁后的故事，自己亦不肯轻提。

百衲之心，纳在自己胸口。

百衲之衣，可为日历，细细数着可知岁月匆匆、容颜易逝。

百衲之心，可为日记，刻骨铭心的事，都有觅处。

一个小娃娃，就这样，在百衲里长大成熟，从不会穿针绕线，长成了一个精于女红的女人。

花拆

一见“花拆”两字就很喜欢。

想象中是有个小孩笨拙又心急地想打开一份意外得来的礼物，那礼物偏偏又是许多层包装，每一层又都精美绝伦，让人舍不得撕破。那小孩的忙乱和惊喜是怎样地滚滚而来呵。

在书上看过古人细诉“花拆”的千般妙趣；也听一个爱花的朋友说过终夜不眠坐等“花拆”，迷迷登登地打了半个盹儿，那昙花就如新娘嫁衣，已然掀了盖头。悔得那守夜人把阳台上的二十五柱栏杆一一拍遍。

我自知福薄，虽爱花，却没有牺牲睡眠的勇气，更不敢奢望有朝一日也能亲眼暴殄。

那日路过一株广玉兰，耳边突然听得极细的“扑”一声，不经意地转头，看见肩头一朵花苞正好拆开，瓷实的花骨朵如紧闭的闺阁豁地推开了窗，重帘漫卷，一重赛一重地白。不一会儿，那满朵的花香便开始呼吸，那香气不见形影，却将周围的空气当作空椅，徐徐地一一坐落。

我这个大活人自然就成了它的沙发，怎么都挪不动脚步了。

细打量，那广玉兰的树叶居然是金玉双色，正面碧绿油亮，背面却是接近金色的棕黄。花大如碗，隐于宽大的叶片深处，很含蓄的样子。不知怎的，这花让我想起憨拙的企鹅，笨得让人疼。

一朵花的生命虽属平常，当它隆重地绽放内心的所有美丽时，有缘邂逅的人，应该放慢脚步，相视一笑。这自然给人的机缘，是只能降临，无法索求的。

看见“花拆”，不过是因留心和向往而得来的一个小小的奇迹罢了。还有多少类似的惊喜，在路的两旁，等待着天人合一的猝然相遇?

蓝印花布

有一种宁静的声音，可以穿在身上，蹦跳着让阳光、池塘、草场去听；也可以守在深闺，婉约着以柔和抵抗时光的坚硬——它是蓝印花布。

出生于十三世纪的蓝印花布，该已是七百多岁太祖母级的美人。可它依然凭着它的天生丽质，在一代一代女人的眼中不添一丝皱纹地巧笑嫣然。

不同的是，以前的蓝印花布是平常百姓家小女子用来做衣、被或包袱皮，现在却是被有特别眼光的文化人领回了家。它们变成了蓝花布伞、蓝花团扇、蓝花布鞋、蓝花布背包、蓝花布裙。当然，它被重新“包装”过，从内容到形式都被现在的审美观赋予了全新的艺术美感，于朴拙中见大气，于平俗中见清丽，于繁复中见简洁。

走近蓝印花布，就如走进一条神密的东方长廊。

细看蓝印花布，花叶的艳丽都潜入了一色的白，在靛蓝的底色上徐徐绽放，如一首诗的完成。

一直觉着，蓝印花布的袄或裙必须与白色盘扣携手登场才完美，宛如在蓝天白云上放飞的一只风筝、暗夜里提灯赶路的月亮，盘扣让蓝印花布的静谧现出光亮。

蓝底白花无边的冥想因盘扣的锁定而从此有了安宁、风吹不散的家。

那喜欢在蓝印花布间走动的女子，无论有没有大辫子、红头绳、绞花银镯，都是久经闺训的、端庄的、传统的、脱俗的，像一片不容亵渎的薄胎瓷。

七百年的过去不算长，但也足以让许多东西消逝。

蓝印花布如时光之杯里的几粒砂，任凭杯里的水如何更换，始终在杯底沉淀，成全着我们的欢喜。

静静的银

静静的银。

也许是时光唯一舍不得带走的一句重诺。

再没有什么比银更娴静婉约，一如在木桶里甜睡的雪水。

再没有什么比银更从容、纯粹，能经得起缤纷岁月的穿越，一如开满鲜花的河流经过一张星光织就的渔网，流过去的河流仍然是一样的河流，留下来的渔网依旧是从前的网。

走了太多路的银，也会有风霜的痕迹、烟火的气息，但只需一点点布丝、一滴醋，银就光洁如初生。

银有始终童真的灵魂和质地。

银不爱说话。在彝族村寨，男子黑衣前襟上，女子纤巧的腕间、帽子上、胸前……银为链、为扣、为镯、为环，众多的银饰齐集、簇拥，但银大都是倾听的耳朵。偶尔银银相触，也只是细细地耳语着自己如丝般窸窣的方言，不打搅“三大弦”谈情，也不妨碍“阿细跳乐”。

在花儿一般的姑娘身上，在满头珠翠、满身彩绣的旁边，银是骨子底里的珍爱，银是从容淡定的骄傲，银是不落俗痕的财富，银是姑娘的聪明、美丽和勤劳。

无论怎样锦绣的妆扮，无论如何盛大的场面，银不怯场，银以无言的力量，与奢华与喧闹对视、从不退缩，哪怕只是将视线游移一点点。

银饰也许是父母给儿女吉祥的祝福，银饰也许是儿女对生活、对美好的向往，银饰也许只是银饰，简单，平和，一无所求。

银饰掩映的春光会消逝，银饰陪伴的花朵会枯萎，与银共舞的水灵灵的萝卜会被年龄脱水成干瘦萝卜干，银却不老，一代一代地被人传承，传得越久远，越珍贵。

每一个得到的人，都得到了如银的护佑，得到了许多人眼里霎那间水银泄地般的感动和羡慕。

唯有那让银为饰的银匠，最怅然。在偷闲的一刻，想起那雕银镯、镂银簪的分分秒秒，想起那些亲手创造的美丽定格，今生，也许再无法相见，纵然相见，也再不能执手相看、互说惦念了。

月亮上山

山里看月。

有时是一条眉毛，有时是一面湖水，慢慢地，上了山。很亮，却可以久看。用眼睛或者不着布丝的手臂和脸庞。

站着看，月亮在手臂斜扬的指端；躺下来，月亮在睫毛疏离的帐顶。那么干净，好像是第一次出来让人看见，哪片云彩是它刚掀的盖头？

很多山里的精灵和我一起聆听这月光，我知道，虽然我看不清它们睡衣的花样。静寂的山间，有不出声的喧哗，在小跑着聚集，穿的大概都是不起声的布鞋。

银色的光，渐渐把暮色挤出了夜。

低下头，看见心里也透出了亮。那光芒伸手可触，似乎是刚从月亮上偷来的。

在月亮地里待久了，常常忘了自己是一棵火红柏子树呢，还是一个金黄草垛，或者是别的。但这又有什么关系呢？

月下看花

花开的夜晚，月光格外如水。

与夜共一双鞋，散步。这时的生命在月下的花间悄悄张开和呼吸，以极朴素的方式，以黑白的视觉。

月下看花，月光冰一般透明，花香极亲切。

这样的夜晚，仅有眼睛是不够的，要让所有的感觉都来围花而坐。每个手指都似乎有卫兵站岗，绝对的敏锐。

每一个毛孔都竖起天线，分辨着各种花香里哪怕是针尖大小的区别。乱乱的树叶像白天多余的话，缄口不语。

沿着花香走近。花和叶、枝、刺都睡入了一种颜色，花的艳丽在月下没有一丝优越性。花必须以它独特的气息和灵性，给赏花人一种意念，一张贴在脑海里的“工笔”。否则，也许会把玫瑰暴殄为月季，也许会把杜鹃肥想成紫薇……

在那么多绝对可能发生的误会里，我的心充满着白天从未有过的、因花而生的幻想和惊喜。

月光下的花们，有熟悉的陌生，像多年前在晒坪上看的黑白电影，那么熟知的情节，又那么遥远的无邪心情。还有那背了几里山路的小板凳，凳脚被一场电影深坐进土里的痴迷，还有风吹幕布的猎猎声。

那样的童年夜晚，路边的花也是一如今晚，素洁地开着。

花香是月下唯一的舞蹈，也是唯一的私语，花香以圣歌的清澈滤尽白天留下的喧嚣气息。云一般浮游的岁月，被一朵昙花一瓣瓣谢尽。

这样的生命绝美，又绝短，甚至来不及接受看花人的一声脆薄的叹息。一切瞬间已过去，新的内容又在天亮时、在阳光里重新站满树枝。

生命如果如花，一半时光在月光下开放，在那离了脂粉伪装的皎洁里，可不可以任我透明而轻盈地，在一种温柔的注视里，开成一朵可以入茶入梦的小小茉莉？

当夜过去，色彩归来，当鸟的歌唱鲜活地走动在空气里，那月光下看的花，已在心底黑白成一张薄薄的底片，生命的过程就是对一张张底片的收集。

据说，黑白的相片更容易留存。

又见梨花

花开是一只花瓣结成的戒指，戴在梨树的手指上。它是不知从哪儿来，却突然降临的神秘礼物，花钱也买不到，它比一切珠宝都珍贵。

一夜间，梨树们都跷起名花有主的花指，在阳光下神气活现地美着。

虽然没有听见，可我肯定，它们一定躲在被窝里笑出了声，笑一地叮当的花影。

花朵多么高兴，它让梨树过上了快乐而香的日子。花苞次第拆开的声音，是心里有话终于说了出来吗？

花不会久留。也许又是一夜间，梨树上的繁华都会因一阵无心的风“吹向玉阶飞”。一阶的白，再也收拾不起。但这又有什么呢？毕竟梨树们那么美过。

那些花的戒指，很快被尘土藏起。或许是又被收在送它们来的哪个大花包袱里。

我不找。我想所有的好东西和好时光一定都去了好地方。那里，有一天，我们也会去。

走香

一只苹果住在柜子里。

当柜门打开，我相信所有的家具都激灵得醒了醒鼻子。那香呵，自己都醉得站不住，袅袅地就扭出去了。它脸上的完美让最馋的牙齿都暂停了暴动。

若有一天，苹果还在，但活泼泼的香气却不在了，一入口，烂棉花一般，只有丢的份。这时，一只还沾着泥的土豆，都可以在它面前圆胸圆肚地走来走去。

苹果或者土豆，什么时候都要想想日后。好了或不好了，都不过喘口气的功夫。

草木的语言

如果草木听得懂我们的语言，他们会怎么想?

是谁第一个给了那些花草树木姓名?那些露珠一样清澈、歌声一样悠扬的称谓，像一颗红豆滑进水罐；那藏着的颗粒，从此就是落墨在家谱中的朱砂痣。

那叫金盏的花，那叫月见草的中药，那叫梧桐的树，那叫花梨木的桌案，在天黑后，一定是一桌可以把酒尽欢的温馨家宴。

那叫玉蝶的梅，端上来是怎样的小点心呢?

那白纸上飞掠过的纪念，如果没有了那些花草树木的签名簇拥，会是怎样的沉寂和索然?

那些令文字生辉的名字，是一散淡于自然草香中的人；那一霎那对时光的不舍和感恩，是两片玉璧相碰的一声脆响。

在有名字前，花草树木们就过着一样欢欣的日子。若不小心丢了名字，如丢失了一把钥匙，回不了家的是那个要用名字叫它们答应的人。再若有一天，草木们都住到一个谁也找不到的地方去，他们的名字还照样流转在人们的记忆里，伤心的也不是它们。

怀念的无凭，恰似弱柳纤风的美人无栏可依，真正是“雁过也，正伤心”。

古人总是对花草树木的春秋感同身受，借此消解胸中壁垒。它们才不管这些，一切听自己的，从不会因为目睹人的离合而悲从中来，它们轻捷地跨过一道道风的门槛，一如紧雨后的山间，自由地散步着松木的幽香。

我想花草树木们如果听懂了我们的话，一定会被我们的暗自多情笑死。

很难说，是谁陪了谁，谁又比谁更需要安慰。

满树桂花香

桂花是昨天晚上开的。

早上出门，几乎被香了一跳。那香气像一片云，被一阵风轻轻一扯，就挂在了那树枝上。那些天的丝缕，在黎明沁凉的空气里飘散着，长脚一般，走出很远。

也就是在昨晚，我的手机上传来了署名“小姐”的一句话：桂花香了。我当时并没在意，但今天却对那句留言陡生感激。好像这一路上的花开，都是那不知是谁的朋友特意送给我的。

虽然那人并没送我一枝真正的桂花，却让我清淡的秋天变得芬芳四溢。我喜欢这种留言式的给予，它让我收之泰然，又因心存怀想轻松而愉快。如同晚上到阳台上晾衣服，看见半个月亮那么亮地照着，我几乎看见了自己的睫毛在脸颊上森森的投影。这样好玩的奇妙发现无法与人分享，就一个人留着慢慢享用，想着想着会突然对自己笑出声来。

桂花的花朵很小，比米粒大不了多少，可当米粒们团结在一起。一枝花的花香可以站满一屋，一棵花树可以把一个小村香得抬起来。

那些日子，小村醉得像一条飘来飘去、随香荡漾的船——所有的香都整日整夜地不合眼，小鸟的歌声也在天空的五线谱上格外婉转。

家门口的桂花一定也开了吧。

久未回家，几十里的山路就让家远成了牵不着手的天堂。照片上的亲人都平安健康，只是不能分享我突然想到的一个笑话。那条守院子的狗若见到我，肯定会像对外人一样狂吠了。好像看到妈妈又在准备做桂花糖了，每年她都做几瓶给我们带在身边。到了寒冷的冬夜，打开装桂花糖的玻璃罐，那甜香依旧、金黄依旧；那瓶盖上，妈妈的手温也依旧。

突然而至的花开，会说话似的俏笑着，走入几乎被物化的心田。未及迟疑，我们已被抱个满怀。久已疏忽的对自然变化的敏感和喜悦、对自己的关照、对亲人或朋友的惦念，在花香里水灵灵地醒来。

我穿行在薄荷一般的秋凉里，花香袭人。想起一些与年年的花事有关或没有一点牵连的人和事，心里又痛又暖。

很多的自行车和我一起，顺着这条叫作桂花路的大街一直向前，驶向秋天的苍凉和果实云集的那端。

花宴

那个叫“满觉陇”的地方，是在桂花开的时候才被人频频想起的。它是秋天的香格里拉。

若我是那些落户于别处的散树游香，在中秋时节耳闻得满觉陇“人面桂花”的盛况，免不了生出类似“恨不生在帝王家”的自怨自艾。

桂花长得实在不起眼，虽说古往今来有许多爱花人大弦小弦地评说过它的叶、花之美，甚至还用心良苦地考证出了药用价值，这么刻意地深挖它的“心里美”，也反证了桂花的外表实在不足以倾国倾城。但它的香气却绰绰有余地让所有的鼻子都原谅了它容貌的不足。

在喜欢名贵鲜花的城市里，它毫不自惭地以山野之气长驱直入，所向披靡。

花开时节，再凉的秋夜都无法阻挡满觉陇的千米长筵。每株桂花树下都有一张方桌，几张小椅，三五个人。坐听桂花在树上翻身说香香的梦话，或者等花循着月光滑翔而来时，以半杯清茶轻轻接住。那份安然的心情，仿佛是未沾尘埃的小孩眼睛，清亮得让功利浮名都逃去无影。

然而，这以香气铺排的盛宴，这专为鼻子而上演的史诗，终将散去。桌椅撤尽，如云闻香之客亦重归喧哗繁杂的来处。唯有月亮，还是不动声色地守着这人去林空的静寂。

特意在一个冬夜和朋友去了满觉陇，路两旁的桂树沉默得好像我们是不小心陨落的流星。那风吹树叶的飒飒声，冷清得逼人，不由得人不心里发紧，脚不点地地逃离。我几乎要怀疑，曾经在这里拥香听月的中秋节是不是聊斋一夜。

不过，再怎么说，这桂花还应该是赶上了好时代。若在食不果腹的年月，纵然千香云集，也不会有多少怜香的人到树下坐听自己肚子里饥馑的空响。虽然一年的准备只是等来了十数天的辉煌，但这短暂的欢愉，却会让另外的三百多个日子有无限的回忆，有无限的盼望。

花宴如此，这推杯换盏的人来人往，在岁月的席面上，不也都是乍现的灯盏？夜黑之后，依然会有天亮抵达。虽然，那已是新的光芒了。

这样的夜晚

雪珠子总是在傍晚如故人归来，沿着白天鸡鸭觅食的小径。

翻过高高的草垛和密密的桃树林，雪珠子的脚步急促而轻盈，像隔壁家贪玩的小孩，一路蹦跳着赶回家。

家家户户关上门，把偌大天地交给了米粒儿般的雪珠子。

夜多大呀，雪珠子想打个盹儿，摸半天也找不着枕头，夜幕做的被单倒是大得没边，躺下去只怕自己都找不到自己了。只好不停地弄出点响动，免得把自己弄丢了。

这时的村里满怀着珠子滚落襟边的声响，像老农把丰收的谷子倒入谷仓。

酒在这时分外香人，千娇百媚地要从泥封的坛里出来，喜欢酒的耳朵，能听见酒在酒瓮里敲门，一声比一声勾魂。

偶尔有穿着老棉袄的人走来走去，大多是去柴房抱柴，眼里有盼着下场大雪的光亮，一闪一闪。一边忘不了给羊圈里填点干草，和羊们说句“恐怕有好几天不能出去了呢”。一边还顺手把一只丢在露天外的捣衣棒槌捡到屋檐下，怕它冻着似的，靠墙放好。

常有人家在雪天打年糕，一屋子的腾腾热气，一屋子的开心笑脸。女人在灶前不停地添柴，红扑扑着脸，男人挽着袖子穿一单褂，对着石臼里的粉团挥动木头柄的石锤，吆喝声和汗珠子一齐迸出来助阵。

最高兴的是小孩，忙着抓一团年糕花到厨房，从碗橱里拣一撮辣椒炒腌白菜裹在里面。冬天的气氛在打年糕的腾腾热气里一点一点浓起来。

这样的傍晚，我们多么喜欢待在家里，围着火堆或半窝着被卷，暖暖地和家人说说话，不知不觉地睡去。伴着瓦背上雪珠子散步的声音，梦里的麦苗青青。

夜戏

夜戏真轻 / 前生一般 / 被戏台满怀抱出 // 花旦银子一样美 / 终捱不过散场 // 小生辛苦夜奔 / 不过是逃到台下 // 纵然栏杆拍遍 / 日子一如老牛 / 在身后安静吃草

享，四季的光阴

留言

春天来了//小鸟告诉了花苞/花的亲戚们坐着风车/赶来看大戏//布鞋告诉了草籽/草的兄弟带着聘礼/要娶个新娘子//我喜欢你/你喜欢我/什么天都可以

春天，春天

该为每个春天写首诗。

那蘸了水粉的笔，写在树上，一夜间，花开的声音，似一匹五花马，从枝杆的苍陌里蹄声嘚嘚，转眼到了门前。

靠着柴房的广玉兰，一树白玉的花盏，雪砚般高高擎起。那砚中的墨定是银墨，蘸着它，小鸟和风都可以为春天写上闪亮的诗行。

草的短语如春水洇绿了每一个村庄。

油菜花在绿茸茸的地上试着新鞋，一地金黄脚印，很多蝴蝶围着来看。最淘气的是桃花了，一棵树、一棵树地转悠，不知不觉间，偌大的林子都染着了它新搽的胭脂红。

跟着蜜蜂去瞧瞧，它知道哪儿春天到得最早，也知道哪儿的春天脖子抹得最香。

去年冬天才来的小羊羔，怯怯地，惊讶着突然而至的景象。粉红的鼻子不知所措，那些从未见过的粉白粉蓝，能闻一下吗？梨花下，呆了半晌儿，等花说话。

晒出去的被子，一会儿就暖和了，而且，香。什么样的梦才配得上它？

最好的诗，是孩子们的，高高地写在天的脸上，诗的名字叫风筝。只有孩子们敢把稚嫩的字举得那么高，让所有的人抬头都可以看见。它们也许是要和小鸟一样高飞的心愿，也许是对可以穿得很少地疯跑的感激，也许只是他们自己高兴得傻笑的模样。

是风筝，替没有翅膀的我们，去赴春天的约会；是风筝，把我们的惦念，写给握不着手的远方。

清水蓝天

春天是山里人的。

那里有山，有田，还有小溪和池塘。

春天可以满地方乱跑，没有高房子和车流阻挡；它也可以到处乱画，只要它喜欢，什么色彩都会在一片叶子或一个花瓣上欢蹦乱跳地呈现。

累了，它就到溪边躺着，听听水的清响；闲了，对着池塘画画眉。

村口的大榕树和它脚边的芨芨草，向阳的小土包或者湿湿的旧瓦，都是春天喜欢去的地方。

如果春天是个女的，那剪荠菜、马兰头的手，最有资格给她结麻花辫；如果春天是男的，那劈柴、耕地的手，最适合给他倒酒。

春天在山里想坐就坐，不怕奔走的犁铧把它的新衣弄皱。反正，每天都有新衣，穿都穿不完。

竹篮，锄头，花袄和山里的人们，都是春天的家具。竹篮给妈妈淘米，锄头给爸爸种菜，花袄给妹妹好看。春天这么安排着，天空就一天天地蓝了。

而我在城里，不知道燕子什么时候回来。桌上的马蹄莲，就是我所有的春天。

芒花飞白处

没想到在城里的橱窗里会看到芒花。

没想到芒花的标价高过了玫瑰。

芒花其实是一种草，长得有点像芦苇。

芒花大多在乡下的山间、水湄、堤岸上，自己长自己的。从来没有人去照料它们，它们却总是风风火火地没了沟沟坎坎。云似的，像要把小村浮起来。

夕阳下，炊烟与芒花一起摇曳。山鸟投林，牛羊归厩，山岚渐起，暮色浅墨般地在田野里洇开。这开满芒花的小村，美得真实又虚幻。

芒花云集的小村里，住着我芒花般淳朴实在的乡亲。

他们向往城里的热闹，他们也安于乡居的清净；他们喝自酿的酒，为自己流汗，看信号模糊的电视，他们还说做城里人也不容易；他们高兴时领带西装牵着牛下地，神气时又一双布鞋一根扁担进城去；他们说城里女人妖气，乡下女人文气，又说其实女人都是花，各花有各花的脾气，男人都得容得起；他们乐意到城里的大街上看看人群，也高兴在自己的庄稼地里走来走去；他们是随和而从容的，他们又有不容轻辱的血性。

当城里的钢精炊具占据了乡下的灶台，从前的葫芦水瓢、竹笊篱委屈成了壁上观。那乡下的芒花，也正以傲然的素面，玉立于城里礼品店的当堂，它的朴素让那些精致的油彩黯然失色。

在一江好水的两岸，城里和乡村相对眺望，相互取暖。霓虹瑰丽，萤火静幽，存在的都是应该。

芒花白飞处，心安的人都可以当作家园。

淡香弥久白衬衣

千衫看尽，唯有式样简洁的白衬衣，是淡香弥久的妥贴。

在岁月这面镜子前，长大和变老总是在你不留意时紧走几步。那些娇嫩的粉色衣衫，刚刚还是天人合一的绝配，转身已是脸黄不胜衣媚的困窘。

一件白衬衣却能会心地为你解围。它包容一切色彩，从不会在任何颜色前无措地黯然。它以不动声色的从容，滤尽缤纷尘嚣。它的朴实无华自有无法婉拒的力量，袭人心神，让看见的眼睛不自觉地安静下来，在它的浅笑里作片刻的歇。

白衬衣有纯粹的美，经得起任何场合和配饰的考验。与米色便裤为邻大方，帅气可人；与裙相携，再添一把珍珠项链，则是可拈花而笑的晚装；若与泳装邂逅，就着小风，遂成翩跹的魅之舞。

白衬衣的脾气极好，从不挑剔。它可以精致得钻石耳环匹配着都高贵泰然，也可以家常得将衣摆随手挽一个结就地坐下来，它也不需专门配置鞋、包等相应行头。任何席面上，它一坐下来，就浑然一家，从不生分、摆谱。它会让心情很轻地想飞。

穿着它可以素面朝天，恍如进入纯真年代，脸都忍不住一点点绯红起来（这样小而可爱的自醉我们已有些日子没有体验了）。

这样的白衬衣的质地可以是棉布，也可以是真丝，它们各有各的气质。顶要紧的是不可以透明，不可以有明显金属扣——这样繁琐的帮衬只会令白衬衣的品味大打折扣，甚至不亚于媚俗。

一袭洗尽铅华的白衬衣，是我们享用得起的奢华，也是不可轻言拒绝的经典。恰似数尺银宣，任由日子浓墨淡彩地洇染，它依然是我们身心相念、白雪屋顶的故乡。

一袭旗袍做嫁衣

一生中能让我们真心欢喜的人和物真的不多，遇到了，又大多错过；拥有了，又唯恐失手打破。

婚姻很重，而爱情却很脆。

一个传统的婚礼是对婚姻最直白、朴素的承诺。虽然凤冠霞帔、长袍马褂的爱情和西式礼服里的相爱是一样的，但总是觉着在拜天地、入洞房、掀盖头的旧婚俗中有着冥冥之中的天意安排，似乎唯有这样做了心里才踏实，才是正正式式地把自己完整地、不管不顾地悉数交到那个人的手中。

可惜已难得有女子能像戏里演的那样行头齐全地被一顶大花轿抬入洞房，现在的套路是纯西式的华衣、美酒、香车。虽然场面奢华，铺排比旧婚俗有过之而无不及，但却太像是在台上演戏，没有了胸口怦怦然的欣喜和期待。

选择一袭旗袍做嫁衣，是一个新嫁娘能给自己的古典情结最后的安慰了。没有什么比旗袍更能读懂女人的心事。旗袍温柔，柔得销魂蚀骨；旗袍艳美，美得懂得节制。

尽管这旗袍上身的时间几乎是以分钟计算的，尽管这喜庆的嫁衣也许是永无机会在从此以后的任何一个日子里再次穿起。也许，这也是女人喜欢选它做嫁衣的重要理由——从一而终。

无论是坐宝马车的，还是骑自行车的，在选择旗袍做嫁衣时的心情，是一样的郑重，一样的甜蜜。若旗袍里面藏有祝福，对每一个女子都会一碗水端平。

那做了嫁衣的旗袍，会挨着新郎礼服，在衣橱里相濡以沫地长相厮守，或许它们偶尔也会趁人不备，在夜半时双双溜出去花前月下，天快亮时又双双偷偷回到橱里。说不定有时赶得急了，未及关上橱门就听到了脚步声。没有关系，他们一定会以为是自己忘了，或者是衣橱觉着闷了，想透透气。

也许在某个午后，她会听到旗袍的气息箫声一般从橱门缝里隐约飘来。她会解下围裙，或放下手头的纸笔，把旗袍取出来，穿上身，在镜前左顾右盼，感慨一番韶光易逝、红颜易老什么的，再把旗袍挂回橱里，什么也没有发生似的继续去烧饭、洗衣、拖地板。

也许在很久以后的某个时刻，她会拿着那件再也穿不进去的旗袍，两眼放光地对她的儿孙们谈起她曾经的青春，曾经的憧憬，而他们一脸的认真，心里却一定是以为她在讲哪本书上的故事。

一直要到那一天，她觉得选择旗袍做嫁衣和选择那个男人做丈夫是她这辈子做得最漂亮、最伟大的事，那旗袍做嫁的使命才算功德圆满。

无论时尚如何变幻，旗袍和婚姻，始终是以传统的形制、实在的内容和精湛的手工为美。没有什么能消逝它们的美，岁月也不能。

三月的天空不寂寞

风筝是孩子手里的春天吗？

当大人们在一本正经地惊喜着麦苗儿返青、油菜花把田野绣成了一件金边的衣裳，然后谋划着哪天去广阔天地走走，孩子们却早已实实在在地雀跃了。

他们的快乐是单纯而看得见的，就是毫不迟疑地脱下那些笨得手脚都打不了弯的棉衣裳，牵一个风筝到空地上使劲儿地跑。

他想要他的风筝飞得最高，哪怕只比别人的高一条眉毛，在那很干净的春天的天上。

风筝的飞翔和孩子的手一样稚嫩，一心地想飞，又总飞不稳、飞不高，但想飞的努力从不叫孩子失望。

放风筝的孩子很少垂头丧气，一个个脸红红地、眼睛亮亮地闪着希望。有风筝的孩子以为自己是鸟，风筝是他可以折叠入口袋的小翅膀。

大人们大多从容地做着看客。因为他们知道，手牵着的风筝怎么都不可能飞得和心一样高，那细细的一根线的重量，足以束缚风筝的向往。那牵引的线是人给自己的想飞定的规矩，是风筝的理智。

大人们的风筝都压在心底，精致而沧桑，只在一个人时拿出来瞧瞧，或到灯前照一照。大人们似乎什么都知道，就不那么容易激动了，他们的老到使他们难得有小孩那么开怀的笑和纯粹的投入。

大人们不热衷风筝的追逐，却并不拒绝欣赏，他们像看童年、看画片一样，微微心动地重温了自己的年少。

有飞的愿望在心，有飞的翅膀在手，小孩子也可以和天牵手，也可以在大人都够不着的天上张扬他们的成就和骄傲。他们率性的欢呼，年轻着古老的乡野和街道。无论能飞多高，能飞就好。

看见小孩牵着风筝奔跑，一个又一个，牵着我们的春天，在跑。

秋日喜乐

在阳光和桂花的气息里，秋天已来了些日子了。

丰收后的田里站满了幸福的草垛，新鲜的谷子簇拥在谷仓里，轻烟在明净的天空舒缓地呼吸。

醒来的鸟儿，在枝头敛妆梳洗。心情很好的鸟语和惊梦的花瓣，落了一地。

在这平常的秋日，一个大红的喜字特别了乡村的清寂。在这庄稼归仓的季节，一个年轻而古老的爱情故事，要喜悦而隆重地走入婚礼。

宛如红透的苹果离枝，长成的女儿将走入另一片自己操持的天地。喜悦又带着淡淡感伤的气氛弥漫在绿藤深处的农家小院，也斟入亲朋好友的一杯杯祝福里。

迎亲的花车在秋天的乡间，像一叶在绿波里轻轻滑过的花船。是不是鲜花和祝福太多太沉，它那么缓缓地行走着，怕碰碎了什么似的，泊在了新娘的家门口。

妆成的新娘绝对当得起“美丽”两个字，她焕发着一生中最灿烂的光华，眼底眉梢的喜悦和憧憬，如风吹开了花蕾。露珠腮帮上的彩虹，玉米粒上的金黄，在新娘的周围黯然失色。

虽然如今的乡村里已没有了哭嫁的风俗，一派欢声笑语中，难舍的亲情还是一样哽在家人的心里。

朝夕相处的女儿突然要离开家，去生活在另一个屋顶下，这样的现实带给父母的寥落，以及对女儿未来生活的担忧，都是不能以言语表达和安慰的。只有女儿过得好，是对父母唯一的慰藉。

当花车驶离家门，来自田野的和声，在竹园，在阳光下的晾衣绳上，在乐器般并立的农具周围，和谐而庄重地轻漾。在水晶般透明的空气里，花红叶绿的日子，又借着鸡鸣犬吠、雾起霜降，安宁而祥和地继续。

很多个秋天，就在农家送嫁迎娶的喜乐中，在一地金黄碎红的感动里，微笑离去。

葵花深处

在那乡下，向阳的山上，有一坡葵花。葵花深处，有一户小小的人家，白墙黑瓦。

葵花都向着一个方向立着，淡淡的葵香却随着不时而至的山风四处徜徉，作散步状。

晚来无月，这山坡总比别处光亮。

秋天的早上，屋内的人和葵花一道醒来。葵花在晨风中伸伸腰，就着露水修修妆，那屋内的女人就着木盆搓洗衣裳。那水自然是山后的泉水，冬暖夏凉。

当太阳露面时，满院的衣裳和妆成的葵花神采飞扬，令这清寂的人家满溢温馨和活力。

那屋内的男人也许是天天做农活，也许是另有活计。农活只是顺便捎着，但总有时候看到他在葵花地里拾掇。而这时候，他的妻总是和他一起忙活，或是在门口看着他，一边纳着鞋底或是捡着豆种。

隔一会儿，她给男人端过来一碗茶，将一块擦汗的毛巾给他搭在肩上。喝完茶的男人冲她笑，从女人头发上捡下不知何时沾上的尘屑。

葵花深处这一家，如庄稼般平静安然地生活着。四季更替风光如画，它始终不变的在一圈篱笆内，在画的一角不动声色。

他们穿的大多是布衣裳，家里有小孩，有一家厮守的天伦之乐，有鸡鸭，有狗，门前的地方总是干干净净。清晨，鸡鸣唤醒了一山的青翠；夜晚，男人的笛声常传到很远的山下。想来日子过得纵然清贫，也有山外人不能企及的快乐和满足。

握着锄把，听着风声，一坡繁华，是自己的繁华。

葵花深处，藏着我向往的家。那葵花一直在我心里开得好好，不肯让它有一瓣凋谢。

失踪的星星

听说，城里已看不到星星，在夜空一闪一闪亮晶晶的，早已是霓虹灯的事了。

星星点灯，已是一句城市民谣，只能传唱，不能照亮屋顶了。

曾是瓦蓝瓦蓝的天空，如今是都市上空灰蒙蒙的一块毛玻璃。天空似乎睡着了，星星也去了远方。浮尘若梦，不知可否用掸子叫醒它，唤回星星，看星星舒一个哈欠，眨眨它的眼睛。

没有了星星的天依然是天，是否寂寞，是否委屈，没人问过。也许压根儿没人注意，像逐火的灯蛾，人们为每一盏灯的辉煌奔波。至于星星去了哪里，只是天的家事，无心过问了。

看街边的树叶，无论你是伤情的枫，还是悠闲的梧桐，总被一帚扫去。繁闹的都市，不需要“碧云天，黄叶地”。或许那星星也是世人眼里一把闲置的棋子，不实用还扰人心性，还不如让星星在另一个地方自弈一局新桃花源记。

不是说每一颗星星都是一个人灵魂的家园，人很老很老时就要回去吗？现在星星走了，灵魂呢？是也走了，还是四处飘游，在每一个枯寂的夜里？

今夜乡下星光灿烂，真想装起一篮星星，挑给那位想把星星“唤取归来同住”的城里友人，让他分享我这里的蛙鸣、水声，还有清香的风、翠色的田、金黄的油菜花。让他在白天的劳累后，静静地把那星星当作自己放牧在天空的羊群，一匹匹数着归厩，直至朗风清月地睡去。

今夜流星若雨，不知落向哪里，多少美丽，就这么提灯离去了。

寂寞的稻草人

旷野。

一只麻雀歇在稻草人的草帽上。

稻草人的衣裤是这块田的主人的。麻雀们看熟了那个农夫穿着它们在地里挥汗如雨、辛勤劳作的背影；熟稔了那左肩上农妇以苏绣手法打的补丁，也见多了农夫在树荫下吃着老婆送来的点心，他的老婆俯身在他裤膝上咬断刚刚缝完口子的线脚。

他们闲聊着的好收成，常常让麻雀看到了自己的光明前景。现在，稻草人穿着主人的背影站在田间，好像是农夫累酸了腰，正直起身子休息。

揭穿稻草人是赝品的是那顶新帽子。那是农夫对稻草人辛苦守田的感激和期望，犹如英雄出征必配宝剑快马。机灵的麻雀却由此看穿了农夫小小的计谋，因为它们从未见过他舍得戴着那么好的帽子下地。

麻雀和人一样，因为恐惧而变得聪明，因为得意也免不了有点小放肆。它们三三两两地飞近稻草人，在稻草人的肩上跳跳拉丁舞、练练太极，还不忘品评一番那顶帽子的质地、造型。全不管稻草人羞得四处张望有无地缝可钻。

而那农夫，只是不高兴麻雀过分糟蹋他的收成，立一个稻草人也并不真的指望吓走麻雀，更多的是为了提醒麻雀们，他曾怎样侍候这块地，想要麻雀过着好日子时也能把他惦记。

没有麻雀来掀帽的稻草人和农夫是寂寞的。

没有麻雀的田野是寂寞的。

嘿，蚂蚁殿下

一只小小蚂蚁，居然知道那么大的天什么时候会下雨。真了不起。

在雨水到来之前，蚂蚁就把家搬到了平安的高处。虽然那高处有时只是斜坡上的一小撮土，虽然那儿的平安大多经不起一个小孩无意间手执一根草棍的好奇。

它们无力反抗什么，但它们有不断重整河山的勤勉和不懈。

蹲下来，看看蚂蚁的家。除了有些许黏土，蚂蚁的家里连草都找不到一根——没有床，没有桌椅，也没有什么家用电器，有的全部财产就是粮食和蚂蚁蛋。

那在我眼里小成了一粒灰似的颗粒，在蚂蚁眼里一定如同百斤大米的麻袋包，因为它们搬得并不轻松，有的背一段，歇一段，有的几只蚂蚁一起抬着走，没有一只蚂蚁不是步履颠扑，行色匆匆。

对蚂蚁来说，大概麻袋包在哪儿家就在哪儿，一个好天气是它们最大的奢望，那么简单的生活需求，却是付出了终日奔忙。看样子做蚂蚁也并不轻松。

也许是因为蚂蚁太渺小，太易被伤害，一滴水就可以颠覆它们的整个王国，上天才给了它们敏感的预知能力，好让它们在自然的玩笑中提前躲开，而让庞大者去承担声色俱厉的考验。

对弱者的体恤让每个看见的人都觉着心里温暖。

其实我一直很想知道的是，蚂蚁在下雨天干些什么，在黑黑的屋里练练多声部合唱？还是一起扛着耋骨头跳伦巴舞？或者是生产队里开大会？会不会有一只蚂蚁因为我的思索而上帝一般发笑呢？

缀网劳蛛

谁都不知道，打雷下雨的时候蜘蛛在哪儿躲着。但雨一走，它就出来忙乎了。

蜘蛛是一个勤劳的纺织工。如果在我们的纺织厂，它准当上劳模了。现在，它只能在三棵枣树间拉开架式，安了个小作坊。

它的作业是一张经纬分明的蛛网。它在树叶之间，像个快乐的空降兵，忽上忽下地盘旋，手脚麻利轻快。不一会儿，一张由极细的银丝织成的网就酒旗一般高悬。

蜘蛛的手艺可与最巧手的绣花女相媲美。那蛛网布局严谨，每一根平行线都拉得极其到位，像用尺子把过关；那网的图案像一个简单却难解的谜面，似乎是出自远古人祖的图腾。可惜除了它自己，恐怕没有谁能参悟网中的玄机。

最让我赞叹的是，蜘蛛可以靠自己的智慧养活自己。那大如斗笠、小如手掌的蛛网，不仅中看，而且中用，一点不费劲地为它备好了鲜美的美味。那些小飞虫，也不知道着了什么魔，天大地大的，偏偏就奔着蛛网一头撞来，落得个有翅难飞。听到动静的蜘蛛几乎是跑得跟小鹿一样快地冲向它的正餐或点心，细嚼慢咽后，再把破了的网重新补好。

所谓“天生我材必有用”，应在蜘蛛身上真是得体得很啊。想起父亲常对我们说“再大的灾年都饿不死手艺人，会三分羊癫病也能有饭吃”的话，对蜘蛛的本事肃然起敬。

一滴停在树枝上的雨珠因风落在了蛛网上，网轻轻一颤。蜘蛛急忙来看，一道彩虹正在水珠上完美地呈现。它赶紧抬头，大概以为是天掉下来，不巧挂在了它的作业上。

把所有的努力和期盼都寄托在一片吹口气也许就破的网上，蜘蛛的魄力不比一头驾辕耕地的水牛小。而它眼见着一次次网破，又一次次编织的坚强和不懈，更让稍不如意则痛苦的人们不得不收声敛泪，起码是不好意思地关门闭窗，试着控制自己的分贝。

每一天

每天去睡前 / 和墙边的蔷薇道别 / 和院角的茉莉道别 / 和地上的脚印道别 / 和灶膛的灰烬道别 / 最后对你说“爱你” // 你是我的完美句号 / 一天一辈子

第四辑　我的草本诗光

写作是灯，照亮我的生活，让我和心爱的人一起品花草的心事，听自然的天籁，享受屋檐下的静美岁月……

烟花

人说烟花的乍现无非是取悦单纯的空间，无非是在幽深如水底的夜空，一颗睡着的星星突然眨了眨眼睛。

烟花眩目，一现便是一句无言的华彩。

在沉默的夜空，几朵烟花并不能真的照亮什么，看见什么，但夜空却因这一点光亮而生动起来，乍亮后的沉寂，弥漫着欲说还休的魅惑。

曾看过放水灯，那一盏盏点着烛光的纸灯，在夜空一般的水面缓缓漂流，愈行愈远，直到熄灭消失。

放水灯的河，流淌着凄美的光影。如果那水灯是从这条暗流里流向心灵无法抵达的河岸，那烟花该是点在高处的一盏门灯，照亮我们无可企及的深度。

人活一世，有时就像一朵烟花一样，这世界也并不太在乎这微渺的证明。可既然来了这世间一趟，总要留个想法，总要恣意一回、闪电一下。不然若再回到来处，岂不寒碜？那烟花如人一生中仅遇的激情，过电般的震撼会余波平淡的一生。

如同草叶间的绿肥红瘦，烟花的灿烂并不刻意取悦什么。我看到了它，我感谢烟花给了我眼睛一亮的理由。

想要把自己开成一朵最好看、最光亮、最锋利的烟花。那个最爱我的人，无论你是我的父母、兄妹，无论你是我的朋友、爱人，无论你在哪里，请你，用眼睛聆听。

早安

多么美好
站在八点钟的街心
对全世界说早安

不过我没说出
我的全世界就是你

花想

梦里春风赶路
红撵着绿白跟着黄

多少颜色
从枕边摸着黑
一路缤纷到故乡

那夜

坐在月光的膝上

看银碗似的夜

被期待一寸寸拭亮

看时光

在你我之间优雅老去

我是真的舍不得

舍不得说出我满怀的欢喜

月光

月光
从窗外扑来
一记雪掌
将我拍醒

睁开眼
它已退出丈外
无辜的样子
好像是我让它受惊

一合眼
它又伸手来抓
仿佛爱情

沙砾

当我很老很轻

一根羽毛就可以驮走我

请把我看紧

别让我没了

就算那去处是天堂

我也只喜欢

做你掌心唯一的沙粒

归人

素年

锦时

梨花掌灯

箱底

那些线装的春天啊

都见你的朱砂印

说好

今生还有多少个夜晚
就有多少个想你的夜晚

今世还有多少个日子
就有多少个爱你的日子

把时光放在你我相合的掌心
一起慢慢用

炊烟

炊烟袅袅
是屋顶和云朵打电话

一天三次
说不完的话

台风

花朵关好了

书本锁上了

稻草抱紧了

大树提醒了

台风要来了

相亲相爱的都要看好了

想念

想一个人
是天天含着糖

舍不得嚼
又等不及它化
明明甜着
总愁它要逃

想有多甜
想就有多苦

亮蓝

野菊花啊

收拾好咱的家

清风打坐的桌椅

放堂前

露水掌灯的灶台

添上柴

明月梳头的炕

铺上新棉

再把夜擦得亮蓝亮蓝

今夜我要带着他

回家来

晚安

总要等到你的晚安到了
才同意让一天过去

我把全世界的亮都吹灭
只留你的名字

给世界光明

花闹

蓝紫的花
玫红的花
雪白的花
都是想你的花

一朵一朵地
不管不顾地开
关也关不住
拦也拦不了
劝也劝不停

大地和你
始终安静
像满怀花瓣的瓷碗
欢喜得舍不得出声

此刻

星星上树

蟋蟀唱歌

小狗不放心地跟着

紧跑几步又回头等我

山微微弯腰

花草侧身相让

突然觉得此刻贵重无比

每一片叶子都是不能失去的亲人

梨花

小草飞奔

绿雨到贺

大地开门

梨花的小腰一扭

就翻过了三月的马头墙

春天就此昭告天下

夏日

我对着一朵莲花叫你时

满池莲花都微笑了

就是这么美好

霜降

连夜赶路的霜

轻轻歇在村庄的屋顶

我呵一口热气

地下的果实翻身睡去……

蜜蜂躲进糖罐

我回到故乡

雪天

在雪地上留个条
“现在大地休息
有事请春天再来”

一片寂静
美得像丝
薄得像绢
轻得像心里的喜欢

花被

龙凤大花
盖的是日子

叠起来是花好月圆
抖开来是欢天喜地

一块花布
也可以让丝绸羡慕

流星

吸得好好的烟
突然就掉了下来

那拿烟的手
赶紧用整个黑夜去接

烟头穿透了夜
用飞逝的光亮
回到白天
躲了起来

家园

蓝天

白云

绿草

是最短的诗歌

也是最长的医嘱

小鸟是快活的逗号

静好

微风吹灭花香
黑夜藏起方向

夜行的人
心安是唯一的光

海拔

有一种惦念
始终为你踮起脚尖

虽然这并不起眼
却是我能企及你的
最高的海拔了

答应

我喊一声
再喊一声

黑夜里
你的答应
我可以当灯

后记

和亲爱的花草树木们在一起

喜欢和亲爱的花草树木们在一起，他们的心跳和呼吸常让我舍不得睡，在很多个静谧柔软的夜里。

走过青青竹园，走过金色池塘，走过爬满青藤的老屋，没有一粒灰会打扰我的鞋。荷花盈门时，一步步仿佛走进一幅水墨画里。桂香惺忪袭人时，院子像一夜间被那香抬高了半米，每一步似乎都有香尘自鞋边溅起。

父亲的小院内，树木俊朗、花草明媚。他在花间拄锄而立，宛如君王临朝。芍药花，荷花，桂花，梅花，不绝的花开，去了又来，父亲的大殿上从不缺花朵正快马赶来的消息。妈妈的饭桌上，粗陶大碗，青花小碟，盛着世上最动人的味道。

最沉醉，在小小的村庄和家人一起柴米油盐地静美一隅。微甜的水和空气，明亮的窗台和桌椅，自由的小鸟和天籁。

最流连，低得似乎伸手可摘、亮得似乎刚刚擦好的满天星星，还有草木间漫舞的萤火虫的小小灯盏。这些自然的光亮，是可以一辈子存在心底的光明，再大的风都不能吹灭，再黑的夜都可以看见天亮。

最不舍，花瓣上的清晨，板凳上的黄昏，一天的日子露珠一般晶莹、炊烟一般轻盈，总是太容易逝去。

小时候曾经对城里的生活满怀向往，现在却对小村的日子由衷感激。

几乎所有的梦境都发生在小村，几乎所有的诗歌语境都是小村。小村是我的母语。

小村叫和尚庄，住着还想。

就这样吧，一辈子，草本的日子，憧憬的日子，喜悦的日子，平平淡淡过日子。

新出图证（鄂）字 03 号
图书在版编目（CIP）数据
小心轻放的光阴 / 陆苏著
武汉：长江文艺出版社，2012.5

ISBN 978-7-5354-5762-2

Ⅰ.①小… Ⅱ.①陆… Ⅲ.①散文集－中国－当代
Ⅳ.①I267

中国版本图书馆 CIP 数据核字（2012）第 063305 号

图书监制：刘　娟　　策　　划：崔　佳　张国辰
特约策划：李　格　　责任编辑：李　潇　李　艳
封面设计：门乃婷工作室　　图片提供：江幽松
责任印制：张伟明　　责任校对：孙文霞

出版：长江出版传媒
长江文艺出版社
地址：武汉市雄楚大街 268 号
邮编：430070
发行：长江文艺出版社（电话：027-87679362　87679361　传真：027-87679300）
北京时代华语图书股份有限公司　（电话：010-83670231）
http：//www.cjlap.com
E-mail：cjlap2004@hotmail.com
印刷：北京同文印刷有限责任公司

开本：880 毫米 ×1230 毫米　1/32　　印张：7.25
版次：2012 年 5 月第 1 版　　2014 年 10 月第 5 次印刷
字数：120 千字

定价：28.00 元